Salomé, fille du vent

MARIANNE SAINT AMAND

Pour un air de blues *J'ai lu* 4238/**2**
Salomé, fille du vent *J'ai lu* 4583/**2**

Marianne Saint Amand

Salomé, fille du vent

Editions J'ai lu

Je me souviens...

Les crinières emmêlées
Semées de sable doré
Les flancs battants
Des chevaux blancs
Ô fiers destriers
Fils du vent
Et de Crin Blanc
Je vous ai aimés

J'avais seize ans...

1

Juchée sur son étalon camarguais, Salomé se repaissait du paysage offert à ses yeux. Le ciel couvert, d'un gris plombé, pesait comme un couvercle sur la Camargue. Et c'était ainsi qu'elle le préférait, ce paysage désolé. Désolé? Oh que non! «Laissons ce vocable aux touristes» pensa-t-elle en souriant. Sauvage, primitif, magique, voilà les épithètes qui convenaient! Elle ferma les yeux pour mieux humer le parfum iodé du vent de mer, mieux en sentir la rude caresse sur son visage et dans ses cheveux défaits. Sa monture s'agita, les oreilles frémissantes. Salomé se courba sur l'encolure et la flatta d'une main, tout en murmurant:

— Tu sens l'orage, mon tout beau. Allez va, on rentre.

Elle se redressa, ses cuisses enserrant fermement les flancs de l'étalon et, d'une légère pression des mollets, lui fit prendre le chemin du retour au petit trot. Salomé chantait. Ils longèrent l'étang de l'Impérial puis traversèrent la piste pour rentrer par la plage. Demain ils iraient faire un tour du côté du Vaccarès. Salomé s'amusa à passer plusieurs fois par les dunes avant de rejoindre le long ruban de sable. C'étaient leurs montagnes russes à eux. Et Job, son cheval, adorait ça autant qu'elle. Ils dévalèrent la dernière dune, la plus haute, et Job fit quelques petites ruades en hennissant avant d'adopter un galop bien mérité sur la plage. Sa cavalière riait aux éclats, heureuse.

Elle faisait corps avec sa monture et plus rien ne comptait à cet instant que le plaisir qu'elle éprouvait, le premier depuis longtemps. Elle se sentait libre, aérienne, délivrée.

Un pêcheur qui repliait son matériel ne put s'empêcher de suivre des yeux cette fille superbe montant à cru un étalon blanc non moins magnifique. Il sourit, les yeux plissés. La petite Salomé! Longtemps qu'on ne l'avait vue, chevauchant fièrement son Job! Ainsi elle était revenue... Té, il passerait chez elle ce soir et lui donnerait un sac des tellines qu'il venait de ramasser. Elle en avait toujours raffolé et c'était pas chez les sauvages, là-haut, à Paris, qu'elle avait pu en trouver, pauvrette!

Le visage buriné se fendit d'un grand rire silencieux tandis qu'une voix d'enfant boudeuse remontait du fond de sa mémoire. «Tu peux rire, Tonin, mais moi, quand je serai grande, eh ben d'abord j'en mangerai tous les jours, des tellines!». «Et puis même que y'aura plus personne pour m'obliger à manger des zaricots!» ajoutait régulièrement la fillette en se tournant vers sa mère. Quel petit farfadet c'était, cette gamine... Virevoltante, têtue comme un âne rouge et jolie comme un cœur avec ça, la pitchounette. Ah, elle leur en avait fait voir...

Salomé ne l'avait pas vu, toute à la magie de sa chevauchée. Sa longue chevelure, fouettée par le vent et la course, tourbillonnait autour de sa tête. Elle aurait un mal fou à la démêler, tout à l'heure, mais ne pouvait jamais se résoudre à nouer ses cheveux lorsqu'elle partait avec Job. Sa toison se devait d'être aussi libre qu'elle, aussi libre que la crinière de l'étalon lors de leurs courses folles. Ça faisait partie du jeu. Et tant pis pour la séance de torture capillaire qui ne manquait jamais de suivre !

Elle fit adopter un petit trot à Job sur le chemin qui serpentait entre les marais. Ils traversèrent la route, déserte à cette heure. Quelques tamaris maigrichons luttaient stoïquement contre le vent, pauvres sentinelles jalonnant la draille[1] qu'avaient empruntée la cavalière et sa monture. Au détour d'une courbe du chemin, de loin, elle put apercevoir le toit de sa maisonnette.

« Non, de ma cabane », se reprit-elle in petto. « Allons, si tu veux revenir, il te faudra oublier le "parler pointu" du Nord. » En Camargue, on ne parlait pas de maison ni de maisonnette, mais de cabane. Et la sienne en était une vraie de vraie, avec son toit de sagnes[2], ses murs et son faîte blancs, sa croix inclinée au sommet, comme pliée, soumise, aux caprices du mistral.

Arrivée devant chez elle, elle sauta souplement au sol et ouvrit la petite barrière de bois délimitant son domaine. Job la suivit jusqu'à la petite écurie accotée à la cabane. Elle le bouchonna soigneusement, le brossa puis le laissa aller à sa guise sur le terrain. Elle ne fermait la porte de l'écurie que le soir. Le reste du temps, Job vivait sa vie sans entraves, libre d'aller et venir où bon

1. Chemin.
2. Gerbes de roseaux.

lui semblait sur la parcelle — non négligeable — de terre entourant la cabane de Salomé.

La jeune femme plongea la main dans la jarre de terre cuite à gauche de la porte, en sortit une clef, la fit glisser dans la serrure et entra. Elle traversa la grande pièce de séjour, fila jusqu'à la cuisine et mit de l'eau à chauffer. La cuisine occupait la moitié de l'abside (le fond semi-circulaire de la cabane), l'autre moitié ayant été aménagée en salle de bains. Elle y fit un crochet en revenant pour attraper une brosse à cheveux et revint s'asseoir sur un petit tabouret de bois.

Salomé laissa son regard errer autour d'elle, comme à chaque fois qu'elle s'occupait de démêler sa tignasse. Comment avait-elle pu partir? se demanda-t-elle pour la énième fois depuis son retour, ses yeux faisant lentement le tour de la grande pièce servant à la fois de salon et de salle à manger. Les vieux meubles provençaux, l'immense table de ferme, le canapé profond (seule concession au confort moderne) semblaient tous lui dire la même chose: «Bienvenue à la maison». Même l'escalier de chêne montant à sa chambre, sur la mezzanine, semblait lui souhaiter le bonjour.

Elle laissa échapper un soupir tandis que ses doigts s'attaquaient à un des derniers nœuds rebelles. Chez elle, elle était chez elle. Et c'était vrai qu'elle n'avait jamais éprouvé ce sentiment de plénitude ailleurs qu'ici. Même pas dans l'appartement qu'elle avait si joliment décoré à Paris. Oh, elle s'y était sentie bien, à une époque, mais ici c'était, comment dire… différent. «Décidément, je suis une bouseuse», se dit-elle en riant intérieurement. Elle lissa une dernière fois sa chevelure d'ébène et alla préparer son thé. Elle empoigna sa chope et sortit s'installer sur le petit banc face à l'étang. Les souvenirs affluèrent. C'était sur ce banc que tout avait commencé…

Trois ans déjà. Trois ans d'absence, ou presque. Trois ans pendant lesquels elle n'était revenue que pour les vacances, trois ans de pension à la manade paternelle pour Job. Trois ans de désastre matrimonial et de vie parisienne pour elle, la fille du vent et des marais. Autrement dit, trois ans de… non! Elle ne le dirait pas. Il y avait eu de bons moments. De très bons, même. «Allons, se morigéna-t-elle, arrête de tout voir en noir!» Quoique. Il lui fallait bien reconnaître que… oui, ils avaient quand même été rares, les bons moments. Le conte de fées avait relativement vite tourné au cauchemar, à y bien regarder. Et pourtant… il avait si joliment commencé…

Elle venait de terminer ses études. Ce soir-là avait eu lieu une grande fête chez Mireille, son amie d'enfance, histoire d'arroser leurs deux diplômes. Salomé en était partie vers une heure du matin, lasse de tant de monde et de bruit. Sa sauvagerie naturelle lui commandait de venir s'installer sur ce banc, justement, et de laisser son esprit dériver. Ce qu'elle avait fait, heureuse de troquer le tumulte de la fête contre son étang si calme, si serein sous la lune de juin. Au bout de quelques instants, il était venu s'asseoir à ses côtés sur le banc. Etonnée, elle avait reconnu le jeune homme qui l'avait si souvent fait danser ce soir-là. Il l'avait suivie dans sa retraite sans qu'elle s'en aperçût.

Ils s'étaient dévisagés en silence. Dieu qu'il était

11

beau ! Et charmant. Puis ils avaient parlé. Toute la nuit. Le soleil était haut dans le ciel lorsqu'il avait regagné son hôtel.

Il était revenu le soir même.

Puis le lendemain.

Un mois plus tard, il la demandait en mariage et ils partaient à Paris ensemble...

2

Un léger sifflement — trois notes — tira Salomé de sa rêverie douce-amère. Elle tressaillit et se retourna.

— Alors, encore en train de rêver au prince charmant ?

— Raphaël !

La jeune femme se leva précipitamment et courut se jeter au cou de l'homme qui venait d'apparaître à l'entrée du jardin. Il la serra dans ses bras en riant et la souleva pour lui appliquer un énorme bisou sur la joue.

— Comment va ma toute belle à moi ?

— Elle va, elle va…

Il l'écarta légèrement de lui et scruta son visage :

— Mouais, mouais… les lèvres sourient mais le regard est tristounet.

Salomé fourra le nez dans le cou de son ami.

— Il ne l'est plus puisque tu es là, grand frère !

La main de Raphaël fourragea dans l'opulente chevelure de la jeune femme tandis qu'il secouait la tête.

— Grand frère, grand frère, c'est vite dit !

— Comment ça ?

Elle lui tambourina la poitrine de ses poings serrés.

— Tu n'es plus mon grand frère ?

Il rit.

— Attends… si je me souviens bien, ton grand frère c'est Philippe, non ? Et moi… je suis ton ami.

— Tu sais bien que mon grand frère, c'est toi ! Dis, tu le sais ?

Raphaël soupira en voyant les grands yeux implorants de son amie.

— Bien ce qui me semblait. Tu ne vas pas, mon p'tit moineau.

Il la reposa à terre, caressa ses cheveux et reprit :

— On en parle. D'accord ?

— Oh, tu sais…

— On en parle.

La voix de Raphaël n'était plus interrogative. Il entoura les épaules de Salomé de son bras et la guida jusqu'au banc. Ils s'assirent, toujours serrés l'un contre l'autre. Salomé appuya sa tête au creux de l'épaule du jeune homme et laissa échapper un soupir. Elle était si bien, nichée contre son ami de toujours. Celui qui ne l'avait jamais trahie. Qui la protégeait, petite fille, qui pansait ses bobos et séchait ses pleurs. Qui la câlinait quand elle avait mal, ou du chagrin. Ce grand garçon de cinq ans son aîné. Son grand frère… Elle se sentit de nouveau petite fille. Raphaël lui caressa la joue du bout du doigt comme il le faisait alors.

— Raconte. Ça te fera du bien.

Elle soupira de nouveau.

— Raconter quoi ?

— Allons, p'tit moineau. Tout ce que tu ne disais pas dans tes lettres. Pour ne pas inquiéter ton… grand frère. Tout ce qui s'est réellement passé.

— A quoi ça sert ? Il est mort…

La voix de Salomé était comme étouffée.

— Justement. Je sais bien qu'il est mort. Dans un accident de voiture, non ?

— Oui.

— Pourquoi ? Comment ?

— Il s'est offert un platane.

Salomé se serra plus étroitement contre Raphaël, comme si elle avait soudainement froid.

— Il y avait du verglas ?

— Non. Il était… il était bourré. Et camé à mort.

— Hein ?

Elle attrapa la grande main de son ami et se mit à jouer avec ses doigts, pensive.

— C'est vrai que tu ne sais rien, dit-elle dans un énième soupir.

— Non. Mais là, maintenant, je veux savoir.

— Okay… Ce soir-là, il avait dans le corps une bouteille de vodka. Plus je ne sais combien de lignes de coke…

— Vierge mère ! Heureusement que tu n'étais pas avec lui !

Elle laissa échapper un rire amer.

— Il y avait bien longtemps que je ne sortais plus avec lui.

— Après seulement deux ans de mariage ? Eh ben, ça promet… J'ai bien fait de rester célibataire ! Mais dis-moi… il se camait depuis longtemps ?

— Oui.

— Alors dis-moi autre chose, Salomé. Tu le savais quand tu l'as épousé ?

Elle leva les yeux vers lui :

— Dis à ton tour, grand frère. Comment voulais-tu que je m'en aperçoive ? Je n'avais jamais connu de drogué ! Comment voulais-tu que je sache ce que voulaient dire les cernes bruns sous ses yeux ? Tu le sais, toi ?

— Euh… non.

— Eh bien ça veut dire cocaïne, tout bêtement.

— Eh merde ! Moi aussi, je les avais vus, ses cernes. Si j'avais su… Mais je… je croyais que…

— Que quoi ?

Il sourit.

— Que vous faisiez des folies de vos corps ! Tu avais l'air si heureuse…

— Et je l'étais ! Enfin, au début. Mais ça n'a pas duré, tu peux me croire.

— Pourquoi ne l'as-tu pas quitté, p'tit moineau ? Que tu aies été amoureuse, je comprends. Et tu l'étais sacrément, pour abandonner tes marais !

Salomé eut un rire sans joie et secoua la tête.

— J'étais surtout sacrément jeune, et bête, et gamine, tu veux dire !

— Tu n'as jamais été bête, mon ange, la corrigea Raphaël en lui caressant la joue.

— Mais si ! Faut-il être bête pour épouser un alcoolique, drogué qui plus est, s'en apercevoir trop tard et se persuader qu'on pourra le faire décrocher ! Parce que j'ai essayé. Sincèrement. Je l'aimais, tu sais.

Il resserra son étreinte.

— Je m'en doute. Et… maintenant ?

— Maintenant ?

— Tu l'aimes toujours ?

— Non. Il en a trop fait. J'allais le quitter lorsqu'il a eu cet accident. J'en avais assez. Assez de ses saouleries, de ses copains, de ses maîtresses…

— Ah parce qu'il te trompait, en plus ?

— A tire-larigot, tu veux dire ! J'étais trop coincée, il paraît.

— Trop coincée, toi ? demanda Raphaël en riant.

16

— Bien sûr! Je refusais de sniffer, de m'éclater, enfin tout, quoi!

«Mais c'est une tout autre histoire», ajouta Salomé entre ses dents.

— Quel con!

Raphaël se leva brusquement et se mit à faire les cent pas, les poings serrés. Il se tourna vers la jeune femme, les yeux brûlants de rage.

— S'il n'était pas mort, je te jure… je te jure que j'allais immédiatement lui exploser la tête!

Elle rit et lui tendit la main.

— Je t'aime, grand frère! Calme-toi, c'est fini tout ça. Bien fini.

Il la regardait, toujours debout devant elle. Puis il desserra enfin les poings.

— Oui, c'est fini. Heureusement. Mais il n'empêche que cet abruti, ce salopard nous a enlevé la plus jolie fille du pays pour nous rendre…

Il la détaillait en souriant tristement, parcourant des yeux la silhouette bien trop mince de son amie.

— … pour nous rendre un p'tit moineau aux grands yeux tristes. Et pas plus gros qu'un sandwich SNCF.

— Tu exagères, Raphaël!

— Peuh, à peine. Tu as vu à quoi tu ressembles? Tu es efflanquée, ma belle. Dis-moi, tu manges, au moins?

— Maintenant, oui, répondit-elle en souriant. Mais, tu sais, j'ai fait une sorte de dépression nerveuse quand tout ça a été fini.

— Je vois! Le genre à avoir une indigestion après avoir avalé deux petits pois…

— A peu près, oui.

Salomé riait franchement. Son ami joignit son rire au sien. Il était si heureux de la retrouver!

Prise d'une inspiration subite, elle se leva et vint lui prendre le bras.

— Tu viens faire un tour à cheval ?

— Je suis venu en voiture…

— Justement ! J'ai envie de faire un tour comme avant, quand j'étais petite. Tous les deux. Comme quand tu m'apprenais à monter. Tu veux bien ?

Raphaël rit doucement et la serra contre lui.

— Bien sûr !

Elle siffla longuement. A l'autre bout du terrain, Job lui répondit en hennissant, secoua la tête et vint à eux en trottant. Raphaël lui flatta l'encolure en lui disant des mots doux à l'oreille. Puis il lui passa sa bride, empoigna sa crinière et se hissa souplement sur son dos nu. Salomé avait fermé la porte de la cabane, remis la clef dans la jarre et ouvert le petit portillon. Elle s'approcha et tourna le dos à son ami. Il la saisit sous les bras, l'éleva dans les airs aussi facilement qu'une plume et l'installa à califourchon sur le dos de Job, devant lui. Elle se cala confortablement contre lui tandis qu'il passait les bras autour de sa taille et empoignait les rênes. Il tâta ses côtes au passage.

— C'est pas Dieu possible, ça ! Tu vas me faire le plaisir de te remplumer, p'tit moineau. J'ai pas envie de me faire des bleus à chaque fois que je t'embrasse !

Salomé éclata de rire, lovée entre les bras de l'homme qu'elle considérait comme son grand frère. Elle leva la tête vers lui, soudain mutine :

— J'avais oublié que tu aimes les femmes bien en chair…

— Pas spécialement bien en chair, se défendit-il en riant aussi, mais qui ont des rondeurs là où il en faut !

— Ah oui ? Et où ça ?

— Eh! De quoi remplir la main d'un honnête homme, ma bonne dame! Du sein, de la fesse, un peu de ventre... de la femme, quoi!

Salomé baissa les yeux sur son corps trop mince.

— C'est vrai que...

— Que tu ressembles à tout sauf à une femme, en ce moment, dit-il tendrement. Et c'est dommage...

Il resserra son étreinte.

— Tu me promets de te remplumer, p'tit moineau?

Salomé renversa la tête au creux de l'épaule de son compagnon et ferma les yeux.

— Je te le promets. Croix de bois croix de fer. Un vrai Rubens, je vais devenir.

Elle rit.

— Et si ton p'tit moineau devient un gros pigeon? Rrrou rrrrou...

Il ne put s'empêcher de rire.

— J'achèterai une cagette de petits pois! Non, sérieusement, je ne t'en demande pas tant. Et puis tu n'y arriverais pas. Mais redevenir ma beauté à moi, tout simplement.

Raphaël fit arrêter Job au milieu de la sansouïre[1] qu'ils traversaient et sauta à terre pour cueillir un gros bouquet de saladelles. Il l'offrit à Salomé avant de remonter en croupe. Elle le remercia d'un sourire. Ils continuèrent la balade en silence, accordés au pas tranquille de l'étalon.

Salomé savourait son bien-être. Elle avait l'impression de renaître à la vie. Le bonheur est si simple, parfois, se disait-elle. Son pays, Raphaël et Job suffisaient à la rendre heureuse. Qu'était-elle allée chercher ailleurs? Et aussi... pourquoi n'avait-elle pas prêté attention aux mises en garde

1. Marais asséché.

19

de sa mère? Maria, la douce, la pacifique Maria ne s'était pourtant pas trompée... Oh, elle n'avait certes pas attaqué Salomé de front, sachant parfaitement bien que ce serait le meilleur moyen pour s'attirer les foudres de sa fille. Non, elle avait juste suggéré comme ça, presque en passant, que se jeter tête la première dans ce mariage n'était peut-être pas absolument nécessaire. Qu'elle devrait éventuellement chercher à connaître un peu mieux son futur mari avant de passer devant le maire.

Mais — comme d'habitude — Salomé n'en avait fait qu'à sa tête. Et avait eu grandement le temps de s'en mordre les doigts.

Yeux fermés, elle s'adossa plus confortablement encore contre son compagnon.

Raphaël ferma les yeux. Elle lui était enfin revenue... Salomé, Salomé... Combien de fois avait-il psalmodié son prénom, les soirs de solitude? Les soirs où il avait envie de pleurer en pensant à elle, partie loin, mariée à un autre... Oserait-il jamais lui dire qu'il l'aimait, lui qu'elle considérait toujours comme son grand frère? Qu'il l'aimait comme un homme aime la femme de sa vie? Il se sentait tellement désarmé devant elle, tellement timide... Sa Salomé, qui semblait avoir décidé une fois pour toutes qu'il était son frère, comment réagirait-elle à son aveu? Elle pourrait aussi bien être terriblement déçue. Et ne plus vouloir ne serait-ce que lui adresser la parole. De cela, il avait peur, lui qui n'avait peur de rien.

Il resserra l'étreinte de ses bras autour d'elle et nicha son nez dans sa chevelure odorante.

Sans dire un mot.

3

— Crotte de bique! grommela Salomé, mécontente.

Elle attrapa la terre à moitié modelée, sur son établi, et l'écrasa d'un geste rageur. Puis elle prit une nouvelle boule de glaise et recommença à la pétrir, pour la énième fois de la journée.

— Ah, tu ne veux pas venir! Eh bien j'aime autant te dire que tu vas finir par y arriver, maudite statuette!

Patiente, elle écrasa la motte de glaise sur l'établi et recommença à la modeler. Ses doigts agiles façonnaient la terre sans discontinuer. Ah, ça avait enfin l'air de venir! Elle se mit à siffloter, sans lâcher son travail pour autant. Il faisait chaud, et la glaise sèche trop vite si on n'y fait pas attention. Salomé plongeait régulièrement ses mains dans la bassine d'eau froide, sur la gauche de l'établi, afin de les rafraîchir et de donner, en même temps, un coup de fraîcheur et d'humidité à la terre.

La statuette prenait enfin forme sous ses yeux. Et sous ses mains. Un orant agenouillé. Ou plutôt une orante. Cela faisait longtemps qu'elle avait cette sculpture en tête. Sans jamais parvenir à la réaliser. Du moins comme elle l'entendait. Mais là, aujourd'hui, enfin elle venait sous ses doigts. Elle se mit à chanter à pleins poumons, tant elle était heureuse d'y arriver. « *D'où viens-tu gitan ? Je viens de Bohême…* »

Puis elle enchaîna sur un air d'Elton John, peu soucieuse d'uniformité d'époque. Elle avançait rapidement, à présent que la terre se modelait enfin à la forme souhaitée. Elle braillait littéralement « *Il avait des culottes et des bottes de moto, un blouson de cuir noir avec un aigle sur le dos…* » lorsqu'elle mit la dernière touche, ou plutôt le dernier coup de pouce, pour mieux incurver une courbe, à son œuvre.

Elle attrapa un ébauchoir en bois, dans le vase vernissé contenant ses outils de potière, pour lisser la terre de la sculpture. Et se mit alors à siffloter un air plus doux, plus mélancolique.

— Bon. C'est pas tout, ça. C'est bien beau de se prendre pour l'hirondelle du faubourg, mais… Parce qu'il y a un mais, chère petite demoiselle. J't'émaille-t'y, ou j't'émaille-t'y pas ?

Elle contemplait la statuette, songeuse. Elle était vraiment réussie. Exactement ce dont elle rêvait depuis… oh ! Un bon bout de temps ! Depuis son retour, en fait.

Cette femme agenouillée, priant — ou plutôt suppliant — c'était elle. Elle avait depuis longtemps appris que son art était un catalyseur de ses émotions. Et l'angoisse, cette angoisse qui la rongeait inlassablement, elle ne pourrait l'exorciser qu'au travers de ses créations. Salomé savait parfaitement qu'elle ne pourrait rien créer d'autre que sa propre image tant qu'elle n'aurait pas extériorisé tout ce qu'elle était incapable de formuler à haute voix. Sa pudeur naturelle, tous ses blocages volaient en éclats dès lors qu'elle avait une motte d'argile entre les mains. Et, lorsqu'elle voyait enfin sur son établi le résultat de son travail, lorsqu'elle avait enfin réussi à exprimer de ses doigts ce qu'elle ne pouvait dire, elle savait que la guérison se rapprochait.

Enfin, aujourd'hui, la statuette dont elle portait l'image depuis si longtemps était sortie de ses doigts. Depuis le temps qu'elle essayait... Combien de mottes avait-elle écrasées, furieuse de n'arriver à rien ? Une bonne centaine, au moins !

— Bon. Je te laisse le temps de la réflexion. De la cuisson, donc. Et puis on sait jamais... des fois que tu te fendes en cuisant... tu me feras pas ça, dis ?

— Oh ! Galinette ! Tu n'es pas seule ou tu parles toute seule comme une fadade ?

Salomé se redressa. C'était la voix de Tonin, le vieux pêcheur. Elle sortit de l'atelier.

— Eh, j'ai frappé à la cabane. Personne. Alors j'ai regardé derrière. J'ai vu la moto et ton Job. Alors je m'ai dit que ma pitchounette, elle devait encore être dans sa cabanette de sauvage ! Alors je m'ai venu jusqu'ici !

— Et tu as bien fait, Tonin ! Je travaillais, en effet.

— Vaï, je veux pas te déranger ! Mais je t'ai apporté un beau loup, et puis un sac de tellines, que tu te régales un peu ! Je me les suis pêchés ce matin.

— Tonin, tu es adorable ! Depuis le temps que je n'en ai pas mangé...

— Eh ! Je le savais ! Alors je me suis dit comme ça : elle va se lécher les babinettes ! Et puis peut-être qu'elle se les mangera avé son amoureux !

— Tu galèges, mon ami ! Des amoureux, j'en ai pas ! Et j'en veux pas !

— Eh, pitchoune... je parle de ton Raphaël, pardi !

Salomé éclata de rire. Sacré Tonin ! Toujours aussi vieux et toujours en train de chercher le roman rose partout ! Pour lui, un ami était *forcément* un amoureux !

— Vaï ! Je te promets que je l'inviterai à les déguster avec moi ! Des tellines de Tonin, il ne refusera pas un tel festin ! On sait bien que tu es le roi pour trouver les plus goûteuses de la région...

— Eh ! La science, on l'a ou on l'a pas...

— Viens donc avec moi à la cabane. Tu boiras bien un pastis ?

— Ça se refuse pas, fillette, dit-il en lui emboîtant le pas.

— Juste une seconde, je finis un truc. Entre.

— Je veux rien casser.

— Vaï !

Salomé alla fouiller dans son bric-à-brac, au fond de l'atelier, et en sortit plusieurs feuilles de plastique soigneusement pliées. Elle en choisit une à la bonne taille, la déploya et entreprit d'envelopper son travail. Tonin la regardait faire sans mot dire. Intimidé.

— Elle est belle ! Y'a pas à dire, galinette, tu es une vraie artiste. Mais dis, pourquoi tu lui mets ce plastique ? Elle va jamais sécher, comme ça, avec un ciré sur la tête !

Salomé sourit. Toujours égal à lui-même, le vieux Tonin ! Sitôt le pied dans son atelier, il la considérait différemment. Elle n'était plus la petite fille rieuse qui lui chipait ses hameçons pour le faire enrager. Il la considérait toujours ainsi, d'ailleurs, sauf lorsqu'elle travaillait. Il adorait venir la voir, mais restait sans bouger, de peur de casser quelque chose. Ici, seulement ici, elle l'impressionnait. Il lui parlait avec une sorte de respect. Salomé en était à chaque fois attendrie. Et expliquait patiemment, répondait à toutes ses questions.

— Avec le four, il fait trop chaud dans l'atelier, Tonin. Si je la laisse sécher sans protection, la terre va perdre son humidité trop vite, et elle risque de se fendre. Alors qu'avec le plastique, elle va sécher tout doucement, sans risque. Tu comprends ?

— Eh ! Bien sûr. Mais après, quand tu la mets dans le four, c'est chaud aussi, non ? Elle se fend pas, là ?

— Ça arrive, malheureusement. Mais là, c'est différent.

— Pourquoi ?

— Si elle pète à la cuisson, c'est parce qu'il est resté une bulle d'air dans la terre.

— Attends, je comprends pas. Une bulle d'air ?

— Tu as bien vu comme je fais, avant de commencer une sculpture, avec la terre ? Je la travaille et je la bats.

— Eh oui je t'ai vue. Comme le Raymond quand il fait sa pâte à pain.

— Eh bien justement, c'est pour enlever l'air qui peut rester dans l'argile. Une seule bulle d'air et ça suffit à faire claquer la terre dans le four.

— Pourquoi ?

— L'air se dilate à la chaleur. Alors l'objet que tu fais cuire pète, ou se fend.

Tonin contempla la statuette emmaillotée, songeur.

— Eh bien j'espère que tu en as pas oublié une. Parce qu'elle est sacrément belle, celle-ci !

— Oui... depuis le temps que j'essayais ! Allez, assez travaillé pour aujourd'hui. Au pastis, Tonin !

— Peuchère, si tu me prends par les sentiments, galinette... je peux plus rien te refuser, pardi !

Après le départ du vieux pêcheur, une heure plus tard, Salomé jeta un œil sur la vieille horloge provençale. Il était midi moins cinq. Elle emporta les verres sales à la cuisine, les déposa dans l'évier et rangea la bouteille d'apéritif. Puis elle sortit et siffla Job.

— Repas de gala camarguais, ce soir, mon tout beau. Et il est juste la bonne heure pour aller lancer nos invitations sans déranger notre invité dans son travail. Hein ?… Ah oui, le téléphone ! Eh, feignant, tu ne préfères pas un petit galop des familles ? Aaah, je me disais, aussi…

Tout en soliloquant, elle avait passé sa bride à l'étalon. Salomé lui parlait toujours lorsqu'elle s'occupait de lui ou le sellait. Après tout, mieux valait parler à son cheval qu'à son aspirateur. Et puis lui, au moins, la fixait de ses grands yeux bruns, si doux, tandis qu'elle lui racontait les dernières nouvelles. Alors que l'aspirateur… jamais un regard, jamais une réaction. Quel abruti ! D'ailleurs elle avait décidé de le punir de sa mauvaise volonté. Elle ne le sortait plus de son placard. Et tant pis pour lui s'il s'ennuyait ! Non mais…

— Je te selle, ou pas ? continua Salomé en tressant la crinière de Job. Non ? Okay. Mais je te préviens, demain, la selle. Sinon elle va encore nous faire la gueule. Oh, tu peux secouer la tête, vaï, ça n'y changera rien ! C'est pas toi qui l'as consolée quand elle sanglotait dans mes bras, la semaine dernière…

Salomé se recula un instant pour admirer la crinière bien coiffée, puis ferma la porte de la cabane et rangea la clef dans sa cachette. Elle empoigna une des tresses de Job et se hissa d'un coup de reins sur son dos.

— Allez zou, à la manade !

En entendant cette injonction, Job tourna à gauche en sortant du jardinet et, sitôt sur le chemin, il hennit doucement avant d'adopter un petit galop tranquille. Salomé se mit à rire.

— Eh, dis-moi, canaillou, tu es si pressé de retrouver ton copain, ou tu t'imagines que tu vas pouvoir encore présenter tes hommages à la Grise, comme la semaine dernière ? Laisse-lui le temps de faire ton poulain, quand même !

4

Raphaël suivait ses hommes. Ils se dirigeaient tous vers la grange dans laquelle ils prenaient leurs repas, midi et soir. Le fils du manadier avait pris l'habitude de déjeuner avec eux. Il lui arrivait même, parfois, de partager leur dîner, les soirs où il n'avait ni envie de rester seul ni envie d'aller prendre son repas chez ses parents. Qui n'étaient pas ses parents, mais ceux de Salomé et de Philippe. Cependant tout le monde le considérait comme leur fils, eux les premiers.

Il n'avait pas connu son père, un Espagnol qui avait très élégamment fait la valise en apprenant que sa petite amie était enceinte. Raphaël avait dix ans lorsque sa mère était morte. Le jour même, Paul et Maria, les parents de Salomé, étaient venus à Arles, où il avait vécu jusqu'alors. Maria était depuis toujours la meilleure amie de sa mère. Ils s'étaient occupés de tout puis, le lendemain de l'enterrement, Paul avait pris l'enfant à part.

« Dis-moi, Raphaël, ça te plairait de venir vivre à la manade avec nous ? » lui avait-il demandé. Un rayon de soleil avait alors illuminé le désespoir profond du petit garçon. Il avait toujours adoré aller chez les amis de sa mère. Il s'entendait très bien avec Philippe et aimait énormément sa petite sœur. Sans compter la passion qu'il nourrissait pour les chevaux. Il avait accepté d'emblée la proposition de Paul.

«Ça tombe bien, figure-toi», avait alors répondu celui-ci en riant, «parce que quand ta mère est tombée malade, elle nous a fait promettre de ne jamais te laisser entre les griffes de la DDASS. Elle a même signé un papier nous confiant ta garde et ton éducation. Mais Maria et moi, on aurait été bien embêtés si tu n'avais pas eu envie de venir avec nous! Allez va, mon deuxième fils, va préparer tes bagages.»

Raphaël s'était tout de suite senti chez lui à la manade. Les gardians avaient immédiatement adopté ce petit garçon fougueux et plein de vie qui, sitôt rentré de l'école, expédiait ses devoirs pour pouvoir les rejoindre et les regarder travailler. Ses questions incessantes les amusaient, mais ils y répondaient toujours avec le plus grand sérieux.

Et puis il y avait une petite fille de cinq ans qui lui avait dit, le soir de son arrivée «Dis, c'est vrai que tu vas rester tout le temps?» en glissant sa main dans la sienne tandis qu'elle le fixait de ses immenses yeux verts. «Oui» avait-il répondu. Elle s'était alors soulevée sur la pointe des pieds et avait mis ses mains sur ses épaules, l'attirant vers elle. Il s'était penché et l'avait entendue chuchoter à son oreille «Alors je suis heureuse que tu deviennes mon grand frère, Raphaël.»

Le deuxième éclat de bonheur d'une journée inoubliable avait alors transpercé le cœur du jeune garçon. Il avait su ce jour-là qu'il serait aussi heureux dans son nouveau foyer qu'il l'avait été avec sa mère. Et il s'était fait le serment silencieux de ne jamais trahir la confiance d'une petite fille qui venait de lui offrir son cœur dans un regard lumineux.

Il ne s'était pas trompé quant à son bonheur. Il avait grandi heureux, entouré de l'affection de ses nouveaux parents, de son nouveau frère — du même âge que lui —, de sa nouvelle petite sœur et des gardians. Après son baccalauréat, il avait obtenu un diplôme d'agronomie tandis que Philippe se jetait à corps perdu dans la médecine.

Mais au bout de quelques mois, il avait fini par revenir à la manade. Là était son cœur. Il serait gardian, comme il se l'était promis à dix ans. Puis il apprendrait à gérer une manade. Paul tenta bien de l'en dissuader mais, devant son obstination, il finit par accepter. Le manadier était — en réalité — secrètement heureux de sa décision. Puisque Philippe ne reviendrait pas, après ses études de médecine, Raphaël pourrait prendre sa suite. Pour préserver l'indépendance et l'intimité du jeune homme, il lui avait fait bâtir une cabane suffisamment éloignée du mas principal pour qu'il s'y sentît parfaitement chez lui.

Et Raphaël avait toujours protégé sa petite sœur adorée. Toujours, sauf ce sinistre été, il y avait trois ans, où il n'avait pas pu, ou pas osé, la protéger de cette énorme bêtise qu'elle avait faite. Ce mariage.

Raphaël allait pénétrer dans la grange lorsqu'il entendit un cheval arriver au galop. Intrigué, il tourna la tête et scruta l'horizon. Puis sourit en reconnaissant la crinière qui volait au vent. Salomé.

— Eh, Antoine, rajoute une assiette ! On a de la visite…

— Qui ça? demanda le gardian en passant la tête par la porte.

— Devine qui peut arriver au grand galop, cheveux au vent?

— A cette heure? Cette heure sacrée où on ne dérange pas le gardian affamé qui déguste son pastis avant de se jeter sur son déjeuner? C'est soit un des cavaliers de l'Apocalypse qui a perdu ses copains soit la petite Salomé, répondit aussitôt son ami en partant d'un grand éclat de rire.

Arrivée à une vingtaine de mètres de Raphaël, Salomé fit arrêter Job, enleva ses sandales, se mit debout sur le dos du cheval et le regarda en riant. Le jeune homme sourit et se mit en position, jambes écartées. Alors Salomé donna un ordre à l'étalon, qui franchit les derniers mètres au galop avant de stopper pile dans une grande ruade. La jeune femme s'envola dans les airs et retomba dans les bras grands ouverts de son ami.

— Le jour où je t'ai appris ça… s'exclama-t-il en riant tandis qu'elle lui plaquait un baiser sur la joue.

— … tu aurais mieux fait de donner ton corps à la science, je sais! acheva Salomé en éclatant de rire. Tu te souviens? Je voulais devenir écuyère de cirque…

— Si je me souviens? Boudiou… c'était avant ou après ta future carrière de voyante?

— Avant.

— Ah oui. Et puis après tu as voulu devenir présidente de la République, avaleuse de sabres, danseuse orientale et moulin à légumes…

— A paroles, pas à légumes!

— C'est pareil! A propos de moulin à légumes, qu'est-ce qui t'amène, à part l'amour immodéré que tu portes à ma petite personne?

— Vantard! Je viens vous inviter, Messire, à partager mon repas de gala, ce soir.

— Miam, Tonin t'a apporté des tellines?

— Yes monsieur. Une tonne. Avec un petit loup au fenouil pour terminer.

— J'accepte! Et en attendant, viens donc déjeuner avec nous.

5

Raphaël sortit de sa cabane, huma le vent et se dirigea vers le mas principal. Il allait le contourner lorsqu'il aperçut Maria, sa mère adoptive, qui entrait dans la cuisine, un panier à la main. Il pénétra dans le bâtiment par la porte-fenêtre du salon, traversa l'immense pièce aux murs clairs et au sol carrelé de tomettes provençales et ouvrit la porte de la cuisine.

— Oh, mon fils, tu viens boire un café avec moi? Tu tombes bien, je rentre juste du marché.

— Bonjour, Maria. Non, pas vraiment, mais si tu insistes… répondit Raphaël en riant. J'allais voir Paul mais je n'ai pas pu résister à l'envie de te faire un bisou en passant.

— Alors tu ne résisteras pas non plus à mon café! Je le mets en route. Assieds-toi donc et dis-moi tout. Tu as un problème?

— Pas du tout. C'est Paul qui m'a demandé de passer au bureau ce matin. Je ne sais absolument pas pourquoi. Au fait, tout va bien?

— Très bien. Mais je crois que je sais. Il doit vouloir te présenter la nouvelle secrétaire.

— C'est vrai que Monique s'en va! Je l'avais oublié. Elle part quand, au fait?

— A la fin de la semaine.

— On fait quelque chose, pour son départ ?

— Au début, on y a pensé, ton père et moi. Mais la ferrade est la semaine prochaine. Donc on a décidé de célébrer son départ en retraite à la fête de la ferrade.

— Pas une mauvaise idée, ça.

— De plus, ça permettra à sa remplaçante de faire la connaissance de tous nos collègues.

— Salomé va être ravie, elle qui adore les fêtes.

— Tu l'as vue, récemment ? J'ai un peu l'impression qu'elle se terre, depuis son retour.

— Oui, je l'ai vue. Je suis même allé déguster son fameux repas de gala avant-hier.

— Tellines et loup au fenouil, je parie ! gloussa Maria.

— Eh, tu connais ta fille !

— Comment va-t-elle ? Elle te parle un peu ? Moi, je ne peux rien lui arracher.

— Elle me parle... sans me dire grand-chose.

— Comment ça ?

— Encore une fois, tu la connais. Elle est vachement pudique en ce qui concerne ses sentiments. Mais ça ne va pas très fort, je crois. Du mal à se remettre de ce mariage...

— Quelle bêtise, quand même ! Je lui avais bien dit de ne pas se précipiter ainsi !

— Eh ! C'est peut-être pour ça qu'elle se cache de vous ! Elle est fiérote, ta pitchounette. Et sa fierté en a pris un grand coup dans le museau, avec cette histoire...

— Elle t'en a parlé ?

— Un peu. Délicieux, ton café.

— Bon. J'ai compris, mon grand. Tu ne veux rien dire. Vaï, l'important, c'est qu'elle puisse en parler à quelqu'un. Mais dis-lui bien que je suis là. Quand elle veut. Où elle veut.

— Elle le sait bien, peuchère ! Mais elle a encore honte.

— Mais de quoi ?

— Est-ce que je sais, moi ? De ne pas t'avoir écoutée. D'avoir épousé ce *minus habens*. D'un mélange de tout ça… Allez, Maria, elle te reviendra, mais il faut encore lui laisser du temps.

— C'est bien pour ça que je ne la force pas à venir. Même si l'envie ne m'en manque pas ! Et même si j'ai toujours peur qu'elle déprime trop, toute seule dans sa cabane.

— Elle travaille, et c'est grâce à ça qu'elle s'en sortira. Ne te fais pas de souci, mère poule que tu es !

— Moque-toi de moi, vaï ! Sale gosse…

Raphaël éclata de rire.

— Bon, eh bien le sale gosse vexé va voir ce qui se passe du côté du bureau du maître de céans. Il y sera peut-être mieux traité !

Il se leva, plaqua un baiser sonore sur la joue de sa mère adoptive, esquiva un semblant de taloche et disparut dans le couloir. Maria le regarda partir en riant et entreprit de vider son panier tout en pensant à son amie si tôt disparue. « Ah, ma Camille, j'espère que d'où tu es tu peux voir ton fils. Il est vraiment devenu un homme bien. »

— Bonjour, Paul. Bonjour Monique. Madame.

— Bonjour, mon fils.

— Tu voulais me voir ?

— Oui. Viens, que je te présente notre nouvelle secrétaire, Magali Crochu. Mon fils adoptif, Raphaël.

Deux femmes étaient assises au bureau du coin, celui de la secrétaire. Monique trônait à sa place habituelle. A côté d'elle était assise une jeune femme aux cheveux aussi blonds que ses yeux étaient bleus. Elles avaient toutes deux levé la tête à l'entrée de Raphaël. Il alla serrer la main à la nouvelle secrétaire et faire une bise à Monique.

— Enchanté de faire votre connaissance, madame.

— Mademoiselle.

— Excusez-moi, mademoiselle.

La jeune femme sourit.

— Ce n'est pas grave. Appelez-moi donc Magali, ce sera plus simple.

— Entendu, Magali. Et moi, je suis Raphaël. Dis, Monique, tu vas nous manquer ! Qu'est-ce qu'on va faire, nous autres, si on ne t'entend plus rouspéter à longueur de journée, hein ?

La grande femme un peu chevaline éclata de rire.

— Boudiou ! Je me dépêche d'enseigner mes trucs à Magali pour qu'elle arrive à survivre au milieu de votre bazar, messieurs !

— Notre bazar ! s'écrièrent les deux hommes en chœur.

— J'ai bien dit votre bazar ! Et les talons de chèques qu'on oublie de me donner, et les factures qui traîneraient partout si je n'y mettais pas bon ordre, j'en passe et des meilleures !

— Bazar, tu as dit bazar ? Comme c'est bizarre, chantonna Raphaël.

— C'est ça, fais de l'humour, sale gosse !

— Décidément, c'est une manie, ce matin !

— Et vide donc tes poches sur mon bureau. Je suis sûre que tu vas y trouver la facture des clous de chevaux que tu es allé chercher hier.

Raphaël prit l'air offensé.

— M'étonnerait, je te l'ai donnée.

— Vide !

Il s'exécuta. Et se mit à rire en sortant une boule

38

de papier chiffonnée du fond de la poche de son pantalon.

— Tiens, qu'est-ce qu'elle fait là ?

Monique se tourna vers Magali, faussement fâchée, tout en lissant la facture.

— Vous savez ce qui vous reste à faire, chaque fois que vous tombez sur cet olibrius. Il faut lui faire les poches ! Sinon, adieu la compta bien tenue…

— Ah ces femmes… dit alors Paul en soupirant. Allez viens, fils, il faut qu'on parle.

Ils sortirent du bureau sous l'œil amusé de Monique.

La jeune secrétaire se tourna vers elle.

— Qu'est-ce qu'il est beau ! Il est marié ?

Monique sourit.

— Oh que oui, il est beau, mon Raphaël. Et célibataire, pour répondre à votre question. Mais ne vous emballez pas, fillette !

— Pourquoi, il est fiancé ?

— Non plus.

— Mais alors… il est libre !

— Attention, jeune fille ! J'ai dit qu'il n'est ni marié ni fiancé, mais ça ne veut pas forcément dire que son cœur n'est pas pris, lança Monique en souriant.

Magali se renfrogna.

— Et il l'est ?

— Qui sait ?

Le sourire de la secrétaire se fit entendre.

— C'est dommage. Un bel homme comme lui…

La jeune femme regardait toujours la porte par laquelle les deux hommes étaient sortis, l'œil rêveur. Monique sourit derechef.

— Et si nous retournions à nos moutons ? Je n'ai qu'une semaine pour tout vous montrer. Et il y en a.

— Que voulais-tu me dire ? demanda Raphaël à son père adoptif alors qu'ils quittaient le petit bâtiment abritant les bureaux de la manade.

— Allons d'abord nous faire offrir un café.

Ils pénétrèrent dans la cuisine. Maria les y attendait. Le café était prêt.

— Asseyez-vous, les hommes, dit-elle en versant le liquide fumant dans deux tasses.

Elle les posa sur la table, sortit le sucrier du placard, puis se tourna vers son mari. Et lui fit un clin d'œil.

— Vous avez à parler. Je vous laisse.

— Mais qu'est-ce qui se passe donc ? Vous en faites, des mystères, s'écria Raphaël alors qu'elle quittait la cuisine.

Paul sortit son paquet de cigarettes et lui en offrit une.

— Il est temps de parler héritage, mon fils.

— Pardon ?

— Succession, si tu préfères.

Raphaël le dévisagea, interloqué. Et inquiet.

— Mais pourquoi ? Et pourquoi maintenant ?... Paul ! Tu es malade ?

— Non, non, rassure-toi. Mais je pense simplement à ma succession. On ne sait jamais.

Raphaël ne parut pas rassuré pour autant.

— Tu me jures que tu n'es pas malade ?

— Je te le jure. Croix de bois croix de fer.

— Bon. J'aime mieux ça.

— Toujours deux sucres, dans ton café ?

— Oui. Merci.

— Donc, pour en revenir à ce que je disais, je suppose que tu sais que je veux te laisser la manade.

— Euh... non, je le sais pas.

— Eh bien maintenant, tu le sais.

40

— Mais je ne suis pas ton fils, Paul. Et Philippe ? Et Salomé ?

— Philippe est médecin, à présent. Il ne reviendra pas, et ça aussi tu le sais.

— Mais... la moitié de la manade lui revient !

— Ne t'inquiète pas. Je n'ai pas l'intention de léser mon fils. Il aura sa part, mais en argent. J'ai économisé pour cela.

— Et Salomé ?

— Là est le problème.

— Comment ça ?

— Tu n'es pas mon fils, Raphaël. Si je te lègue la manade, tu devras régler des droits de succession faramineux. Impossibles à payer, pour tout dire.

— Je sais bien. Mais alors ?

— Laisse-moi finir, fils. Je veux donc léguer la manade à Salomé et de l'argent — représentant la valeur de ce qui lui revient — à Philippe. Et je voudrais que tu épouses Salomé.

— Hein ?

— Ne fais pas la bête, petit. Pas avec moi. Tu l'aimes.

— Euh... non. Si ! Enfin, je veux dire...

Raphaël se concentra sur son café, histoire de se donner une contenance. Bien sûr qu'il l'aimait, sa Salomé ! A la folie, même. Mais il avait toujours gardé sa passion secrète. Il releva les yeux en entendant Paul se mettre à rire. D'un rire très doux, très bas.

— Vaï ! Il suffit de voir comment tu te la manges des yeux dès que tu la vois ! Tu es fou de ma petite fille, Raphaël.

De plus en plus gêné, Raphaël faillit s'étrangler avec le café brûlant.

— Alors dis-moi, poursuivit Paul en reprenant son sérieux, quand vas-tu te décider à lui faire ta

demande, grand couillon ? Et puis d'abord, pourquoi diable l'as-tu laissée épouser ce va-nu-pieds ?

— Pourquoi, pourquoi, tu en as de bonnes, toi !
Tu crois que ça m'a fait plaisir, peut-être ?

— Je dis pas ça. Mais pourquoi tu l'as laissée
faire ?

— Oh là, Paul, on dirait que tu connais pas ta
fille ! Va la faire changer d'idée quand elle veut
pas, tiens !

— Mouais. T'as pas tort. Une vraie bourrique,
celle-ci. Comme sa mère.

— Et son père ! lança Raphaël en riant.

— Passons. De toute façon c'est fini. Alors
quand ? Tu attends peut-être que le premier chat
coiffé te la pique une autre fois ? Bougre de couillon, va !

— Mais elle ne m'aime pas, Paul !

— Imbécile ! Bien sûr que si.

— Oui, elle m'aime. Comme un grand frère.
Pas comme un homme.

— Espèce de grand benêt, qu'est-ce que tu
attends pour lui montrer que tu es un homme, et
pas son grand frère ? Qu'il pleuve des salades ?

Raphaël poussa un soupir à fendre l'âme tout en
se prenant la tête entre les mains.

— Facile à dire, moins facile à faire.

Paul se mit à rire.

— Attends, petit ! Ne viens pas me raconter que
tu ne sais pas t'y prendre avec les femmes, pas à
moi ! Je les connais, tes frasques ! Si tu veux, tu
peux, mon fils. Enfin. Tu fais ce que tu veux. Ton
avenir est entre tes mains, à présent. Ou tu restes
baïle[1], employé de Salomé — quand je ne serai
plus là — et tu berces les enfants qu'un autre lui
aura faits, ou tu l'épouses et tu deviens manadier.

1. Maître gardian.

6

L'homme errait dans le cloître Saint-Trophime. Il avait pensé pouvoir trouver la solution en ce lieu de paix. Mais la galerie romane ne l'aidait aucunement. Il venait de passer une demi-heure à admirer le portail de la cathédrale. Mais seul son œil d'artiste avait su apprécier ce chef-d'œuvre de l'art roman provençal. Son esprit était ailleurs. Moitié à Séville, sa ville natale, moitié ici, à Arles. Mais trente ans en arrière. Ou un peu moins.

Il secoua la tête. Rien ne servait de rester ici. Il sortit du cloître et décida d'aller boire un café sur le boulevard des Lices. Il devait prendre une décision. Il passa devant les nombreux cafés du boulevard et finit par trouver une table à une terrasse. Il faisait bon sous les platanes. Il commanda un café.

Qu'est-ce qui lui avait pris, d'aller raconter ça à Francesca ? Après plus de vingt-cinq ans ? Il aurait dû se douter que Francesca ne lui ficherait pas la paix, après un aveu pareil. *Sangre del Cristo*, pourquoi donc en avait-il parlé ? Un reste de culpabilité ? Après trente ans ? Peuh !

Francesca, il la connaissait bien, pourtant. Vingt et quelques années qu'il l'avait épousée. Il aurait pourtant dû savoir qu'elle ne prendrait pas sa confession à la légère. Et qu'elle lui ferait une vie d'enfer. Il l'entendait encore. « Pablo, Pablo, tu ne peux pas rester comme ça, *amor mío*. Il faut que tu y retournes, que tu saches. »

Et voilà. Il était à Arles depuis trois jours. A vrai dire, il s'était surtout occupé de redécouvrir la ville dans laquelle il avait passé deux ans. Il y a un siècle. Oh, bien sûr, il avait consulté l'annuaire. En vain. Et n'avait pas encore réussi à faire ce qu'il devait faire.

Alors il s'était précipité sur le musée Réattu, le museon Arlaten et le Musée lapidaire, en passant par l'amphithéâtre, les bains de Constantin et les Alyscamps. Bref, il avait arpenté Arles de fond en comble. En faisant de soigneux détours pour éviter cette petite ruelle du centre ville. Cette ruelle de la vieille ville dans laquelle il devrait bien se rendre. Un jour ou l'autre.

Pas moyen d'y échapper. D'une manière ou d'une autre, Francesca arriverait à lui tirer les vers du nez. Oh, elle ne ferait pas de scène. Pas de reproches sanglants. Non. Elle prendrait sa tête numéro trois. Son air de doux reproche. Pablo ne pouvait pas supporter longtemps cette expression sur le visage de sa femme. Moralité : il reviendrait à Arles. Faire ce qu'il n'avait pas eu le courage de faire.

Allons, c'était trop bête ! Autant en finir.

Il paya son café, se leva et prit la direction de la vieille ville. De petites rues en ruelles, ses pas le conduisirent naturellement jusqu'à une maison de trois étages. Il leva les yeux vers les fenêtres du deuxième étage. Puis les baissa de nouveau. Quatre boîtes aux lettres. Quatre noms. Mais pas celui qu'il cherchait. Il réfléchit quelques instants.

Puis poussa la lourde porte de chêne. Il frappa à la porte de l'appartement du rez-de-chaussée. Personne. Il gravit l'escalier et cogna au premier étage.

Une femme âgée entrouvrit la porte. Elle vit sur le palier un homme grand, très brun et basané, aux yeux bleus. Il paraissait avoir la quarantaine, mais peut-être était-il un peu plus âgé. Et son costume avait été fait sur mesure. Elle en savait quelque chose, la vieille Raymonde. Elle avait été couturière, de son état. Et de son temps.

— Oui ?

— Bonjour, madame. *Perdóname*, je cherche quelqu'un qui habitait ici.

— Vous avez regardé sur les boîtes aux lettres ?

— *Si*, mais je n'ai pas vu son nom.

— Alors...

— Excusez-moi d'insister, madame, mais vous habitez ici depuis longtemps ?

— Ouh, mon bon monsieur, toute ma vie j'ai vécu ici !

— Alors vous vous souvenez peut-être d'elle. Je voudrais connaître sa nouvelle adresse. Une jeune femme qui habitait au deuxième.

— C'est qu'il en est passé, des gens, au deuxième... Quel nom elle avait, cette petite ?

— *Camila*.

— Camila ? Vois pas.

— Pardon, Camille. Camille Benito. Pas très grande, très mince et très jolie. Elle chantait tout le temps.

La vieille femme fronça les sourcils sous l'effet de la concentration. Puis son regard s'éclaira.

— La petite Camille ! Pensez si je me souviens ! Peuchère...

— Vous connaissez sa nouvelle adresse ?

La vieille Raymonde dévisagea l'homme qui se tenait debout devant elle. Il lui rappelait vaguement quelqu'un, mais qui?

— Comment, mais vous avez pas su?

— Su? Su quoi?

— Eh bé, mais elle a pas déménagé, la pauvrette! Elle est morte, peuchère.

L'homme se décomposa soudain.

— *Muerta?*

— Eh voui. Mais restez pas là, que vous allez vous trouver mal. Entrez donc, j'ai du café sur le coin du feu.

Pablo se laissa guider jusqu'à la cuisine par la vieille dame. Abasourdi. Morte, Camille? Il s'affala sur la chaise que Raymonde lui offrait. Ravie d'avoir de la visite inopinée, celle-ci s'affairait. Elle sortit deux tasses, deux soucoupes, le sucrier et un paquet de petits gâteaux secs. Elle déchira l'enveloppe du paquet et disposa les biscuits sur une assiette. Puis elle versa le café de l'antique cafetière en porcelaine provençale qui trônait depuis la nuit des temps sur sa non moins antique cuisinière. Enfin, elle tira une chaise et s'assit face à son hôte.

— Alors, comme ça, vous avez pas su.

— Mais non.

— Vaï, c'est une bien triste histoire, peuchère. Cette petitoune, quand j'y pense…

— Mais qu'est-ce qui est arrivé?

— Té, je sais plus bien… Le cancer, je crois. En trois semaines, hop, plus de Camille. Pas croyable, dites!

— Mais quand?

— Ouh là… attendez que je me souvienne… Mon Mathieu était encore là… il est mort en…

46

Vaï, ça fait bien vingt ans. Enfin, ce que je vous en dis, c'est à peu près.

— Vingt ans…

— Par là, oui. Mais dites, comment vous l'avez connue, la petite Camille ? Je lui ai pas vu beaucoup d'hommes…

Pablo se passa la main sur le visage, rassemblant ses souvenirs.

— Je l'ai connue il y a trente ans. Un peu plus.

— Eh bé, ça fait un bail. Et où vous étiez, quand elle est morte, la pauvrette ?

— J'étais rentré chez moi, en Espagne.

— En Espagne ! Mais qu'est-ce que vous étiez venu faire, à Arles ?

— Je suis peintre. A dix-neuf ans, je suis venu étudier et peindre dans la ville où avait vécu Van Gogh. Où il avait peint. Je suis resté deux ans, et c'est comme ça que j'ai rencontré Camila. Camille, pardon.

— C'est donc ça… mais dites, il est pas bon, mon café ? Que vous le buvez pas…

Tout occupé à écouter la vieille dame, Pablo en avait oublié sa tasse. Il la porta à ses lèvres.

— Si, si, *perdona*. Je pensais à autre chose.

— Prenez donc un petit gâteau.

— Je n'ai pas très faim.

— Si, si, allez, vous allez me vexer.

Résigné, Pablo attrapa un biscuit et le croqua. Après tout, ça aiderait le jus de chaussette de la vieille dame à passer !

Elle le regarda manger, curieuse.

— Eh dites, mais alors, vous l'avez pas connu, son petitou ?

— Alors elle a eu un fils, murmura Pablo entre ses dents.

— Pardon ?

— Non, je disais que je n'avais pas connu son fils.

— Qu'il était beau, ce petiot.

La vieille dame se mit à rire.

— Ça, il nous a mis une sacrée vie dans la maison. Fan, qué troun de l'air!

— Et… vous savez ce qu'il est devenu?

Raymonde le dévisagea, circonspecte.

— Mais dites, pourquoi il vous intéresse, ce petit?

Pablo se tortilla sur sa chaise, gêné. Pas question de raconter sa vie à la pipelette!

— Eh bien, je… ça me ferait plaisir de parler de sa mère avec lui, je pense.

— Voui. Je comprends. Mais je sais pas où il est, le petit. Il avait pas de père, vous savez.

— Ah bon?

— Eh non. Alors, quand la pauvrette est morte, il est allé vivre chez des amis à elle. Il avait que dix ans, le pitchounet.

— Dix ans… Vous savez où ils l'ont emmené?

— Peuchère, j'ai plus l'adresse. Il m'a écrit un peu, au début. Il avait l'air heureux. Quelque part en Camargue, mais je sais pas où. Dites, il doit bien avoir dans les trente ans, maintenant. Boudiou, il a dû changer!

Pablo sourit. Ça, oui, il avait dû changer.

— Dites-moi, vous vous souvenez de son prénom?

— Attendez que je cherche… Quelque chose comme Gaël.

— Gaël?

— Raphaël! Oui c'est ça. Raphaël.

Pablo se leva.

— Il ne me reste plus qu'à vous remercier, madame. Pour votre accueil et votre café.

— Allez va, ça m'a fait plaisir. A mon âge, les visites se font rares.

— Merci encore, et au revoir.

— Adieu. Revenez quand vous voulez.

Restée seule, la vieille Raymonde se servit une autre tasse de café et grignota un petit gâteau. Les souvenirs affluaient, à présent. Elle revoyait parfaitement la jolie Camille. Toujours en train de chanter, c'était vrai. Et le petit Raphaël, si mignon avec son teint mat, ses cheveux brun foncé et ses yeux si bleus.

Son teint mat ? Ses cheveux brun foncé ? Ses yeux si bleus ? Un autre souvenir remonta alors des profondeurs de sa mémoire. La façon dont Camille appelait son petit garçon. *Muchacho*. Enfant, en espagnol, avait-elle précisé à Raymonde, qui était à peu près aussi polyglotte qu'un moule à gâteaux. La vieille femme sourit. Elle revoyait l'homme qui venait de la quitter…

Ah, elle en aurait des choses à raconter à ses commères, la Fanette et la Manou, la prochaine fois qu'elles viendraient boire le café !

De joie, la vieille pipelette s'accorda un autre biscuit. Et mordit allégrement dedans.

7

— Allô?

— Salomé? C'est moi, Mathilde.

— Boudiou! Comment vas-tu, depuis le temps?

— Super, et toi?

— Comme ça.

— Raconte. Oh et puis non. J'ai un truc à te proposer.

— Ah bon?

— Même que oui. Un truc qui concerne les trois mousquetaires de la terminale. Tu te souviens?

Salomé se mit à rire.

— Si je me souviens? Tu parles! Comment elle va, cette vieille branche de Brigitte?

— Eh ben justement. Elle vient d'arriver.

— Où ça? Chez toi?

— Gagné. Elle reste jusqu'à demain. Ça te dirait de venir dîner avec nous, qu'on se retrouve un peu?

— Ce soir?

— Eh, pardi. Pas dans douze ans!

— Tu as vu l'heure qu'il est?

— Eh, oh, il n'est jamais que six heures du soir! Et je te rappelle qu'il n'y a que quarante kilo-

mètres entre les Saintes-Maries-de-la-Mer et Arles.
Tu as toujours ta moto?

— Oui, bien sûr.

— Alors?

— Tope-là. Je me change et j'arrive. Qu'est-ce que j'apporte?

— Toi.

— Mais encore?

— Rien du tout. On a fait les courses. Tu sautes sur ton fringant destrier et tu ne t'occupes de rien.

— Okay. A toute.

Salomé se débarrassa de ses vêtements de travail, couverts d'argile, prit une douche rapide, enfila un jean propre et une chemise en coton rouge vif. Puis elle décrocha son blouson, son casque, prit ses gants et ferma la porte en sifflotant. Elle alla vers l'écurie. Lorsqu'elle avait fait construire la maison de Job, elle avait exigé qu'on rajoutât au bout un box pour Trottinette.

Elle la sortit et l'enfourcha tout en actionnant le démarreur électrique. Le moteur partit du premier coup. Salomé enfila son casque, le fixa, releva la visière et enfila ses gants.

Elle suivit la draille à petite allure puis, une fois sur la route d'Arles, poussa les cent chevaux de sa machine. Elle pilotait depuis l'âge de seize ans et n'avait jamais pu se résoudre à acheter une voiture. Lorsqu'elle en avait besoin, elle préférait en louer une. Ou emprunter celle de ses parents. Elle avait toujours préféré la liberté que lui procurait la moto. Sa mère ne l'avait pas baptisée « Salomé, fille du vent » pour rien!

Tout en faisant attention à la route, Salomé jubilait à la perspective de la soirée à venir. Mathilde et Brigitte… elle ne les avait pas revues depuis… depuis son mariage. Ses deux meilleures amies, à l'époque du lycée. Elle avait eu régulièrement des nouvelles de Mathilde, restée à Arles, mais Brigitte était partie à Marseille sitôt le bac obtenu. Qu'était-elle devenue ? Salomé se réjouissait à l'avance de la revoir.

Il ne lui fallut qu'un peu plus d'une demi-heure pour rejoindre la «petite Rome des Gaules», ainsi que l'appelaient les anciens. Mathilde vivait dans la petite maison héritée de son père, aux abords du pont de Trinquetaille. La porte s'ouvrit alors que Salomé arrivait. Deux jeunes femmes en surgirent en riant.

— Eh bien, vous me guettiez ! s'écria Salomé en enlevant son casque.

Toujours assise sur sa moto, elle embrassa ses deux amies.

— Et si vous me laissiez le temps de garer Trottinette ? ajouta-t-elle en riant.

— Mazette, madame, s'exclama Brigitte. Honda 750 VFR, s'il vous plaît. Tu as pris du galon, depuis le lycée. A l'époque, je me souviens d'une 125.

— Eh ! Faut ce qu'il faut ! Va faire la Camargue-Paris avec une 125, tu m'en diras des nouvelles…

— Je l'ai jamais fait, justement.

— Eh bien moi, si. Et je peux te garantir que je suis arrivée complètement cassée !

Brigitte éclata de rire.

— Et tu es revenue dans le même état ?

— Penses-tu. Pas folle, la guêpe. Le lendemain j'ai filé à la Bastille, bazardé la bécane et acheté Trottinette. Comme une princesse, je suis revenue.

— Allez, on rentre, les filles. J'ai soif, dit Mathilde.

— Bien, chef.

— A vos ordres, chef. Mais léger, le pastis, pour moi. Faut que je rentre, ensuite.

— T'ai-je déjà saoulée ? demanda Mathilde, faussement offusquée.

— Non, mais je préfère me méfier !

— Mmm, divin, ce repas ! s'exclama Salomé trois heures plus tard.

— Un petit café ?

— Ah oui !

— Ça roule ! dit Mathilde en se levant.

Salomé alluma une cigarette tout en détaillant la cuisine, dans laquelle elles avaient dîné. Mathilde avait fichtrement bien arrangé la grande pièce, depuis trois ans qu'elle n'était pas venue. Elle avait fait sauter l'horrible carrelage qui recouvrait les murs jusqu'au plafond et les avait peints en blanc. Autour de l'évier, elle avait fait poser des carreaux de grès, blanc également. Le linoléum, lui aussi passé aux oubliettes, avait fait place à des tomettes provençales impeccablement cirées. Des rideaux de vichy rouge et blanc habillaient les fenêtres. De vichy aussi, la nappe qui recouvrait la grande table ronde. La pièce était devenue douillette et confortable.

Brigitte leva une main tandis que Mathilde disposait tasses et cafetière sur la table.

— Bon, c'est pas tout ça, les filles. Je vous ai raconté ma vie à Marseille et parlé de mon petit ami. Toi, Mathilde, tu nous as décrit ton fiancé. Mais Salomé ne nous a narré que son mariage catastrophique.

Salomé ne voyait pas où elle voulait en venir.

— Oui, et alors ? Il n'y a rien à en dire de plus.

— Tout à fait d'accord, fillette. Mais tes amours ? Je veux dire maintenant ?

Salomé se mit à rire.

— Il n'y en a pas. Néant sur toute la ligne.

— A d'autres ! Cachottière...

— Non, je te jure.

— Allez, Salomé, intervint Mathilde, ça fait un an que ton bonhomme a cassé sa pipe. Tu n'as pas porté le deuil tout ce temps-là, puisque tu ne l'aimais plus !

— Je n'ai pas porté le deuil du tout, soupira Salomé. Mais bon. Il a fallu s'occuper de tous les papiers. Ensuite j'ai fait une sorte de dépression nerveuse...

— Mais pourquoi ? Tu devais être plutôt soulagée, non ?

— Oui, bien sûr. Mais en même temps... comment dire ? Il m'a bousillée, ce type. Vous ne pouvez pas imaginer à quel point.

— Je crois que si, dit doucement Mathilde.

— Non, vous ne pouvez pas. Parce que je ne vous ai pas tout dit. Il y a certaines choses que je ne dirai jamais. A personne.

Elle se tut un instant, l'air sombre. Puis poussa un profond soupir avant de reprendre.

— Enfin bref. Après la phase de soulagement, plop, j'ai plongé. Déprime carabinée. Je ne savais plus où j'en étais, ni même qui j'étais. Devais-je rester à Paris ? Revenir ici ? Paris, je n'en avais aucune envie, mais revenir ici... pas évident non plus.

— Porque ? demanda Brigitte. Tu avais ta famille, tes amis. Ils t'auraient aidée.

— Oui, mais justement. C'était là que le bât blessait. J'avais honte.

— De quoi ? Tu ne pouvais pas savoir !

— Tu sais, quand on est mal, on est mal. On voit tout en noir. Et puis j'ai fini par réaliser que je ne pourrais me retrouver qu'ici. Alors je suis revenue. Il n'y a pas si longtemps que ça, en fait. Et je me suis un peu terrée chez moi sans voir trop de monde. Mais ça m'a fait du bien.

— Mais maintenant, ça va ? Tu commences à te faire un nom, avec tes sculptures.

— Oh, ça oui. Merci Paris, d'ailleurs. Je fais une exposition en juillet là-bas.

— Moralité, tout va bien, lâcha Brigitte, qui ne perdait jamais le nord. Donc, les amours ?

Salomé éclata de rire.

— Quand elle a une idée derrière la tête, celle-ci, elle l'a pas ailleurs ! Il n'y en a pas, je t'ai dit.

— A d'autres ! Une jolie fille comme toi, indépendante, à l'aise financièrement — grâce à l'héritage de ton mari, entre autres —... ne me dis pas que les hommes ne te courent pas après !

— Ils courent peut-être, mais je ne les vois pas.

— Comment ça ?

— M'intéressent pas. Les hommes, j'en ai soupé, croyez-moi. Fini, nini.

— Non ?

— Oh que si. Je suis très bien toute seule, et je compte le rester. On ne peut pas leur faire vraiment confiance. Enfin, moi je ne peux plus.

— Et dis-moi, fillette, fillette, glissa Mathilde en souriant, qu'as-tu fait de tes rêves d'homme idéal ? A t'entendre, on croirait que tu as mille ans.

Salomé lui sourit en retour. D'un sourire désabusé.

— *J'ai* mille ans. Et ils sont toujours là, mes rêves. A ceci près que je sais que ce ne sont que des rêves.

— Pouce, j'ai loupé un épisode, intervint Brigitte. Comment imaginais-tu l'homme idéal ? Tu m'as jamais dit…

Salomé sourit de nouveau, les yeux dans le vague.

— Avant, je rêvais de trouver un cœur de loup.

Elle gloussa.

— Quelle bêtise ! Autant espérer trouver un mouton à cinq pattes décoré de l'ordre de la Jarretière…

— Un cœur de loup ? Je ne pige pas. Qu'entends-tu par là ?

— Ben, un homme avec un cœur de loup ! C'est pourtant simple, non ?

— Euh, pas vraiment. Dis-nous ce que c'est, un homme avec un cœur de loup.

— Eh bien c'est…

Salomé réfléchit un instant.

— Pas facile à expliquer ! Un cœur de loup, c'est… comment dire ?… Un homme qui soit sauvage et tendre à la fois, quoi.

— Ah c'est ça… répondit Brigitte, songeuse. Jolie, l'expression. Et physiquement ?

— Oh, le physique…

— Eh, ça compte !

— Oui, bien sûr, mais…

— Ton cœur de loup, tu lui imaginais bien un physique, non ?

Salomé se mit à rire.

— Oui.

— Alors, grand ? Petit ? Moyen ?

— Grand.

— Blond ? Brun ? Roux ?

— Brun.

— Les yeux ?

— Ça, je m'en moque. Bleu, vert, marron…

— Bon, je récapitule. Grand, brun, les yeux de

préférence bleus — puisque tu l'as dit en premier — baraqué je suppose, et cœur de loup. C'est bien ça ?

— C'est bien ça, répondit Salomé en riant. Enfin, ça l'était dans mon rêve.

Mathilde éclata de rire.

— Je le connais, ton cœur de loup !

— Hein ?

— Eh eh... ou je me trompe ou c'est la description de ton Raphaël, que tu viens de nous faire.

Salomé la dévisagea, les yeux ronds.

— Tu es givrée, Mat ! C'est mon frère !

— Oui, comme moi je suis la sœur du pape. Dorénavant, mesdames, je vous prierai de m'appeler Excellence, rétorqua son amie en riant.

— Mais quand même, se défendit Salomé. Raphaël est mon frère depuis des années. Il m'aime comme un frère !

— Mmm, à voir...

— Oh mais c'est tout vu ! Raphaël... elle est folle, celle-ci !

— C'est pour ça que tu m'aimes, pardi ! Tiens, à propos, j'ai vu un film génial, l'autre soir...

Seule sur la route sous le ciel étoilé, Salomé se mit à rire. Sacrée Mathilde... Il fallait toujours qu'elle vît en chaque homme le prince charmant...

Raphaël, son cœur de loup ? Ou plutôt le cœur de loup de ses rêves ? Allons ! On ne tombe pas amoureuse de son grand frère ! Même s'il est grand, brun, qu'il a les yeux bleus et qu'il est sauvage et tendre à la fois.

Elle secoua la tête.

Sauvage et tendre ?... Oui, il l'était, son Raphaël. Eh, après tout, peut-être était-il un cœur de loup ?

Non. Pas peut-être. Il l'était. Bah, ça voulait au moins dire qu'ils existaient, les cœurs de loup de ses rêves adolescents. Mais celui-ci n'était pas pour elle.

Elle rétrograda et ralentit à l'approche d'un virage particulièrement méchant, puis reprit de la vitesse en sifflotant.

8

Les cavaliers, bien calés dans leurs selles gardianes à haut dosseret, jambes tendues et pieds solidement ancrés dans leurs étriers fermés, isolaient le dernier anouble[1]. Cerné de toutes parts, éperdu, le taurillon ne put que galoper en direction du bouvau[2]. Là, un gardian lui attrapa les cornes et, d'une habile torsion, le força à se coucher sur le flanc. L'odeur de corne brûlée envahit l'air chaud tandis qu'on appliquait un fer rougi — la marque de la manade — sur la cuisse de l'animal. Libéré, terrorisé, celui-ci s'enfuit à toutes pattes en meuglant.

Raphaël sauta à terre.

— On aura bien mérité une douche ! s'exclama-t-il en menant son cheval vers l'écurie.

Les gardians l'imitèrent, tandis que l'homme qui avait marqué les anoubles piétinait les restes du feu sur lequel il avait mis les fers à rougir. Tous étaient couverts de poussière et trempés de sueur. Les invités s'égaillèrent dans la cour ombragée.

1. Jeune taurillon d'un an, non encore marqué.
2. Enclos à ciel ouvert.

Un quart d'heure plus tard, chevaux pansés et nourris, Raphaël fila jusqu'à sa cabane pour se nettoyer.

Il en sortit peu après, les cheveux encore humides, rasé de frais, vêtu d'un pantalon de taupe clair[1] et d'une chemise en tissu provençal rouge. Prêt pour la fête de la ferrade.

D'immenses tables avaient été dressées dans la cour. Il faisait doux, en cette soirée de printemps. Raphaël s'approcha en catimini d'une jeune femme qui dépliait un drap immaculé sur une des tables. Puis la saisit brusquement par la taille et la souleva en riant.

— Ouh, c'est le loup !

Salomé éclata de rire en se débattant.

— Imbécile ! Tu m'as fait peur.

— Je te fais peur, mon p'tit moineau ? demanda Raphaël en fourrant son nez dans le cou de Salomé. Tu as peur du loup ?

Salomé lui lança un regard étrange. Circonspect.

— C'est nouveau, ça, que tu te prennes pour le loup.

— Eh, on peut rêver ! rétorqua-t-il en riant.

— C'est ça ! Eh ben en attendant, ôte tes pattes pleines de doigts de là. J'ai du boulot.

— Oh bon. Je m'en vais, puisque tu me chasses.

Raphaël lui fit un dernier bisou dans le cou, la lâcha puis partit en chantonnant. Salomé sursauta. Elle se retourna d'un bond et le regarda partir, perplexe. Puis elle se précipita à l'intérieur et sauta à pieds joints sur le téléphone.

— Mat ! Qu'est-ce que tu m'as fait ?

1. Pantalon traditionnel des gardians.

— Hein ? De quoi ? J'ai rien fait, j'le jure !

— Ne mens pas, Mathilde ! Tu as appelé Raphaël !

— Moi ? Jamais de la vie ! Qu'est-ce qui te prend ? Je te croyais en train de préparer la fête...

— Il vient de me chanter « *Cœur de loup* » !

— Non ?

— Si, je te jure ! C'est toi.

— Je te jure que non ! Croix de bois croix de fer. Mais attends, j'y pense. Ils la passent souvent, sur Radio Camargue. Il doit l'avoir entendue aujourd'hui.

— Sûr ? Parce que sinon...

— Eh, Salomé, je ne t'aurais jamais fait un coup pareil ! Allez va, file faire la fête et oublie ça. C'est pas moi. Rassurée ?

— Bon, je veux bien. A plus, mimine.

— A plus.

Salomé raccrocha, sourcils froncés. Coïncidence, ou pas coïncidence ?

— Tiens, je croyais que tu avais du travail, dit Raphaël en entrant dans le salon.

— J'en ai.

— Pardi ! Papoti papota.

— Un coup de fil urgent à passer...

Salomé s'éloigna lentement. Puis se retourna brusquement.

— Dis, Raphaël.

— Oui ma reine ?

— La chanson que tu chantais...

— Laquelle ?

— Là, tout de suite.

— « *Cœur de loup* » ? Eh bien quoi, elle ne te plaît pas, ma chansonnette ?

— Je l'aime bien. Pourquoi tu la chantais ?

— Comme ça.

Elle le dévisagea.

— Comme ça ?

— Oui. Pourquoi ?

— Pour rien… bon j'y vais.

— P'tit moineau ?

— Oui ?

— Tu as l'air songeuse. Quelque chose qui ne va pas ?

— Non non… t'inquiète.

Elle regagna la cour, pensive.

La fête battait son plein. Monique reçut, pour cadeau de départ à la retraite après vingt ans passés à la manade, une magnifique ménagère en argent. La collecte avait été royale car tout le monde l'aimait. Magali fut présentée à tous les manadiers présents.

Lorsque les musiciens commencèrent à jouer, la jeune secrétaire posa sa coupe de champagne et alla tirer Raphaël par le bras.

— Vous m'invitez à danser ?

L'intéressé s'exécuta de bonne grâce. Il enlaça Magali et l'entraîna dans un rock endiablé.

— Qui c'est, cette fille ? demanda Salomé à Monique, avec qui elle discutait.

— Qui ça ?

— Celle qui danse avec Raphaël.

— C'est Magali, ma remplaçante. Mignonne, non ?

— Beuh. Si on aime les veaux.

Monique éclata de rire.

— Tu pousses, galinette. En tout cas, elle est futée. Je pense que ton père a fait le bon choix, pour me remplacer. Ton Raphaël a l'air de lui plaire, on dirait.

— Pas besoin de dire. C'est sûr. T'as pas vu comment elle le regarde, depuis le début de la soirée?

— Ah bon? Et comment? demanda Monique en souriant.

— Avé des yeux de palourde à l'agonie, elle le regarde! Pff... ridicule!

La vieille secrétaire pouffa.

— La pauvre!

— Pauvre gourde, oui!

— Allons, Salomé! Si elle plaît à Raphaël, pourquoi pas?

— Tu vas pas me dire qu'il aime ce genre de grognasses! Allez vaï, je vais faire un tour. Plutôt que de voir ça...

Aux alentours de onze heures, Raphaël sortit du mas et scruta la pénombre. Sous un tamaris, Salomé discutait avec sa mère. Il les rejoignit en quelques enjambées.

— Salomé?

— Oui?

— Je raccompagne Magali, sa voiture ne veut pas démarrer.

— Ben voyons.

— Pardon?

— Non, rien. Oui, tu disais?

— Rien. Je voulais savoir si tu m'attendrais.

— Je sais pas. Elle habite loin?

— Non. Aux Cabanes de Cambon. Je serai revenu d'ici vingt minutes une demi-heure. Tu m'attends?

— Okay.

Trois heures plus tard, Raphaël arrêta sa voiture devant la cabane de Salomé. Elle ne dormait pas, la lumière brillait toujours aux fenêtres. Il fit le tour de la maisonnette et jeta un coup d'œil par la fenêtre. Assise dans le canapé, Salomé buvait un thé, le regard dans le vide.

Raphaël retourna à la porte et frappa. Ce fut une Salomé visiblement de mauvaise humeur qui lui ouvrit.

— Ah, te voilà! grinça-t-elle.

— Tu ne m'as pas attendu.

— Eh, tu as vu l'heure? Non mais, tu voulais quand même pas que je vienne tenir la chandelle, tant que tu y étais?

— Qué chandelle?

— Ça te plaît tant que ça, de sortir avec une palourde? En tout cas, me demande pas de compter les points, okay?

— Qué palourde? Qué points? Oh, où tu vas nager, ma Salomé, que tu as plus pied!

— Tu crois que j'ai pas vu ses yeux de palourde à l'agonie, quand elle te regardait, la blondasse? J'espère que vous avez pris du bon temps, depuis le temps que vous êtes partis, justement... Tu as mis une capote, au moins? Des fois qu'elle soit pas fraîche fraîche, la palourde...

Jusqu'alors interloqué, Raphaël éclata d'un rire tonitruant. Il en pleurait presque.

— Tout faux, p'tit moineau! parvint-il à hoqueter au bout d'un moment. Tu t'es bâti un roman pour rien. Et en plus, elle ne m'intéresse pas du tout, la petite Magali. Figure-toi que je l'ai déposée devant chez elle et que je suis rentré tout de suite. Je t'avais demandé de m'attendre, non?

— C'est cela, ouiii...

— Seulement, j'ai failli emplafonner des chevaux en rentrant. Ceux d'Antoine. Ils s'étaient encore échappés et traînaient au milieu de la route. Je pouvais pas les laisser là, au risque d'un accident. Alors il a fallu que je les rassemble et que je les fasse rentrer dans leur enclos. Ça fait vingt fois que je dis à Antoine de réparer sa clôture. Un jour, il aura un pépin.

— Vrai ?

— Eh, si tu me crois pas, vas-y donc voir. J'ai réparé la barrière avec la courroie que tu avais laissée dans la malle.

— Si si, je te crois.

Salomé porta sa chope à ses lèvres en le regardant, songeuse.

— J'aime mieux ça. Quelle gourde, cette nana.

— Tu exagères, Salomé. Elle est gentille.

— Gourde, je te dis. Une génisse. Et blondasse, par-dessus le marché. Beurk ! On a pas idée de regarder un mec avec des yeux pareils.

Raphaël se remit à rire.

— Encore une fois, tu exagères !

— Pas du tout ! Elle avait presque la bave aux lèvres en te regardant !

Il redevint sérieux.

— Mais dis-moi, p'tit moineau, tu me fais une crise de jalousie, là !

— Moi ? *Moi* ? Peuh !

— Mais si ! Tu es jalouse !

— Ne sois pas ridicule, Raphaël. Je ne peux pas être jalouse d'une génisse, enfin !

Il sourit.

— Pas si sûr… M'enfin, assez parlé de Magali. J'ai des courses à faire à Aigues-Mortes, demain. Tu viens ?

— Chouette ! Bien sûr que je viens ! Dis, on y va en moto ?

— Tu as toujours ton top-case?
— Oui.
— Alors ça ira. Comme d'hab'? Tu m'emmènes et je pilote en revenant?
— Ouiii... A quelle heure je passe te prendre?
— Trois heures, ça ira.
— Entendu. A demain!
— Dors bien, ma gazelle...

9

— *¿Diga?*

(Allô?)

— *Soy yo, querida.*

(C'est moi, ma chérie.)

— *Hola, amor mío. ¿Que pasa? ¿La has visto? ¿Todavía vive allí?*

(Bonjour, mon amour. Comment ça se passe? Tu l'as vue? Elle habite toujours au même endroit?)

— *Pues, ella no. Se murió.*

(Eh bien, elle, non. Elle est morte.)

— *¿De verdad?*

(Vraiment?)

— *Si. Hace ya veinte años. Más o menos.*

(Oui. Il y a vingt ans. Plus ou moins.)

— *Y...*

(Et...)

— *Fue un varón. Se llama Rafael...*

(C'était un garçon. Il s'appelle Raphaël...)

— *¿Rafael? Igual que tu padre...*

(Raphaël? Comme ton père...)

Pablo se tut un moment.

— *Si. Igual que mi padre.*

(Oui. Comme mon père.)

— *¿Sabes adonde vive el?*

(Tu sais où il habite?)

— *Aun no. Estoy buscando. Pero…*

(Pas encore. Je continue à chercher. Mais…)

— *Escúchame, Pablocito. Tu tienes que encontrar su seña. E ir a verle. ¡Es tu hijo, por Dios! Y el hermano de nuestros niños.*

(Ecoute-moi, *Pablocito*. Il faut que tu trouves son adresse. Et que tu ailles le voir. C'est ton fils, nom de Dieu! Et le frère de nos enfants.)

— *Vale, Francesca. Sigo buscando. Te llamo mañana. Adios, amor mío.*

(D'accord, Francesca. Je continue à chercher. Je te rappelle demain. Au revoir, mon amour.)

— *Adios. Te quiero.*

(Au revoir. Je t'aime.)

Pablo raccrocha le combiné lentement. Puis l'empoigna de nouveau et composa le numéro de la réception.

— Bonjour, Nathalie à la réception. Puis-je vous être utile?

— Dites-moi, mademoiselle, est-ce qu'il y a un moyen de trouver une adresse quand on ne sait pas dans quelle ville habite la personne?

— Vous connaissez le département?

— Oui. Enfin, je pense.

— Alors c'est facile, à condition que la personne que vous cherchez ne soit pas sur liste rouge. Il suffit de consulter le Minitel. Nous en avons un, à la réception. Désirez-vous que je m'en occupe?

— Ce serait gentil.

— Quel est le nom de cette personne?

— Raphaël Benito.

— Je cherche et je vous rappelle, monsieur.

— Merci, mademoiselle.

Pablo alla chercher une bière dans le minibar et revint s'asseoir sur le lit, jambes confortablement étendues. Il ferma les yeux tout en portant la canette à ses lèvres. Mille images se bousculaient dans son esprit. Mille souvenirs.

...

Dix-neuf ans, jeune Espagnol aux dents de loup, frais émoulu des Beaux-Arts. Musée Réattu, Arles. La ravissante attachée de presse du musée, rencontrée aux archives... Camille. Camila.

...

Les Baux-de-Provence. Il avait planté son chevalet au pied de la colline et peignait, peignait, comme pris de frénésie. Etendue dans la garrigue, tout près de lui, jupe en corolle et chapeau de paille sur la tête, Camila sommeillait sous le chaud soleil de midi.

...

Le moulin de Daudet, à Fontvieille. Son chevalet, toujours. Sans Camila, qui travaillait. Sa hâte à replier son matériel, tant elle lui manquait. Tant il avait envie de la caresser, de la respirer, de se fondre en elle.

...

Les bougies allumées par Camila pour les vingt ans de son jeune loup espagnol. Son sourire radieux.
Son sourire radieux...
Camille, en français...
Le sourire de Camille. Enceinte. La peur. La fuite. Eperdue. Lâche. Si lâche.

— Cobarde[1]! grogna Pablo à voix haute.
Puis il referma les yeux.

L'Espagne. Séville. Le retour. Peur. Ne rien dire. Jamais. Cobarde...

1. Couard, lâche.

*Cinq ans plus tard. Francesca. Douce, jolie Fran-
cesca. La petite maison dans le Barrio de Santa
Cruz. Toute blanche. Les bougainvilliers en fleur...*

Dring!
La sonnerie du téléphone le fit sursauter.
— Allô?
— Ici Nathalie, à la réception, monsieur.
— Oui. Avez-vous trouvé?
— Oui. Vous avez de quoi noter?
— *Momento, por favor.* Je prends un stylo.
...

— Dites-moi, demanda Pablo en arrivant devant
le comptoir de la réception, savez-vous où ça se
trouve, exactement, l'adresse que vous venez de
me donner?
— Ah non, monsieur. Je suis désolée. Tout ce
que je sais, c'est que ce M. Benito habite sur la
commune des Saintes-Maries-de-la-Mer. Mais je
pense qu'il vous indiquera le chemin, si vous lui
téléphonez.
— C'est-à-dire que... je préfère lui faire la surprise. C'est, euh... un ami que je n'ai pas vu depuis
très très longtemps, alors...
— Je comprends, monsieur. Mais dans ce cas-là,
il vaut mieux que vous alliez directement aux
Saintes. Là, on pourra vous renseigner. Vous
connaissez le village?
— J'y suis allé, il y a aussi très longtemps.
— Le syndicat d'initiative est sur le front de mer,
pas très loin des arènes. En arrivant par la route,
vous continuez tout droit jusqu'à la mer, puis vous
tournez à droite. C'est pratiquement en face.
— *Muchas gracias.* Je trouverai.
— A votre service, monsieur. Au revoir.

— *¡Verguenza. Verguenza sobre tí, cobarde!*
(Honte. Honte à toi, couard!)

Trois commères qui papotaient se retournèrent sur cet homme, grand et fort beau, qui marmonnait dans sa barbe tout en empruntant la rue Victor-Hugo. Puis elles se détournèrent aussitôt, blasées, non sans un commentaire de leur cru. Allez vaï, encore un fada! Un *estranger*, que le soleil lui a tapé sur la coloquinte...

Ah, il l'avait trouvé sans problème, le syndicat d'initiative. Et il savait comment y aller, chez ce Raphaël Benito. Mais de là à trouver le courage... Et puis quoi dire, *sangre del Cristo!*

«Bonjour, je suis ton papa, tu vas bien? Oui, bon, j'ai détalé comme un... *un conejo*... ah oui, un lièvre, quand tu t'es annoncé, mais faut pas m'en vouloir...»

Ridículo.

«Salut, je passais dans le coin. Dis donc, ils ont grandi, mes spermatozoïdes!»

Cretino.

«Hello, je crois bien que j'ai égaré un gamin dans le coin, il y a une trentaine d'années. Ce ne serait pas vous, par hasard?»

Cretinísimo.

Le regard de Pablo fut attiré par la plaque d'une petite rue qui partait sur la droite. Rue des Pénitents-Blancs, lut-il. Il se planta au coin de la ruelle, juste devant le traiteur.

— Ah j'en fais un beau, de pénitent! maugréa-t-il.

— Pardon, monsieur?

— Non, rien, dit-il en se retournant. Tiens, donnez-moi plutôt une part de pizza, s'il vous plaît.

Sa part de pizza à la main, il suivit la grande

rue en contemplant les vitrines des innombrables magasins. Comme ça avait changé, en trente ans... Les marchands du Temple avaient bel et bien envahi la petite cité méridionale. Tiens, même la pharmacie avait changé. De la gauche, elle était passée sur la droite. Plus grande aussi. Rien à voir avec l'ancienne et minuscule officine... Le musée, toujours là, avec sa drôle de petite coupole, tout là-haut. Passé le musée, sur la droite si ses souvenirs étaient exacts, s'ouvrait la place de l'Eglise. Ou plutôt la place Lamartine, prolongée par la place de l'Eglise.

Ses souvenirs avaient résisté au temps. Mais là aussi, que de changements ! La petite place pavée, déserte à l'époque, était encombrée de présentoirs. Cartes postales et journaux devant le bureau de tabac, cochonneries diverses et variées — de la bouée canard aux barques des Saintes-Maries en coquillages, en passant par les incontournables poteries de Vallauris, les faux chapeaux de gardian en vrai carton vaguement bouilli et les croix des Saintes en similicuivre — en face et tout le long de la placette.

Pablo fit lentement le tour de l'église, éberlué. Pas une seule des petites maisons qui entouraient l'édifice n'avait échappé à la folie mercantile. Partout, des présentoirs, des souvenirs, toujours les mêmes. Comment arrivaient-ils tous à travailler ? se demanda-t-il, perplexe.

Il décida de pénétrer dans l'église fortifiée. Elle, au moins, n'avait pas changé. Et faillit percuter une jeune femme qui en sortait. Il la rattrapa alors qu'elle perdait l'équilibre et se confondit en excuses. Elle releva la tête pour lui répondre que ce n'était rien. Et se figea.

Aurait-il du noir sur le nez ? Un œil de travers ?

Pablo ne savait plus. Pourquoi donc cette jeune femme si jolie le regardait-elle ainsi ? Il l'avait juste un peu bousculée par mégarde.

Salomé, quant à elle, contemplait l'homme qui l'avait bousculée. Cet homme grand, au teint mat, aux cheveux brun-noir, aux yeux si bleus. Et sa bouche. Raphaël... Raphaël avec vingt ans de plus...

Elle secoua la tête, incrédule. Se passa une main sur les yeux. Le regarda de nouveau. Raphaël, toujours...

— ¿*Que pasa, señorita?* Vous me regardez comme si j'étais le diable...

— Vous êtes espagnol ?

— *Si.* Mais...

— Que faites-vous ici ? Je veux dire aux Saintes ?

— Je... je me promène.

— C'est tout ?

— Euh... oui. Pourquoi ?

— Pour rien. Ne faites pas attention. Ah, encore une chose. Votre nom ?

— Ortega. Mais...

— Adieu.

Pablo leva une main pour la retenir, mais déjà elle avait disparu. Il l'aperçut qui courait, déjà à l'autre bout de la place. Comme si, effectivement, elle avait vu le diable.

10

Raphaël entendit un ronflement caractéristique. Le moteur de la moto de Salomé. Il jeta un coup d'œil à la pendule et sourit. A l'heure, la gazelle ! Il enfila son blouson, attrapa son casque intégral et sortit de sa cabane.

— En route ! lança Salomé à travers sa visière relevée.

— Attends au moins que je mette mon chapeau !

Il boucla la jugulaire de son casque et enjamba la selle en fredonnant *L'Homme à la moto*, de Piaf.

— Chauffeur, à Aigues-Mortes ! En un seul morceau, siouplaît.

— On va tâcher. Abattis numérotés ? Paré pour le démarrage en trombe ?

— Ici, dans la terre ? Ouah, je descends tout de suite !

Salomé sourit, puis enclencha la première.

Ils arrivaient en vue de la tour de Constance lorsque Raphaël posa une main sur la cuisse de Salomé.

— Dis-moi, p'tit moineau, lança-t-il par-dessus

l'épaule de sa compagne, tu es bien silencieuse. Pas d'invectives, pas d'imprécations, pas de commentaires divers et variés. Il y a quelque chose qui ne va pas ?

— Non… rien…

— Qu'est-ce qui se passe ?

— Rien. Ou plutôt si. Mais pas maintenant. Je te dirai tout à l'heure.

— Okay.

Ils passèrent sous les remparts. Salomé gara son engin.

— Alors, tu me dis ? demanda Raphaël en retirant son casque.

Salomé secoua la tête tout en mettant la moto sur la béquille centrale.

— Non. Pas maintenant. Tu vas d'abord faire tes courses. On se retrouve place Saint-Louis.

— Dans quel bistrot ?

— Celui où il y aura de la place en terrasse. Le premier arrivé se colle un hortensia sur la tête.

— Eh bé, tu auras l'air fin ! répondit Raphaël en riant. Dans une heure ?

— Dans une heure. A toute.

— Tu vas te balader ?

— Voui. Vais me faire les remparts. J'adore. Et puis ça fait longtemps que je ne suis pas venue.

Raphaël la regarda partir. Elle n'avait vraiment pas l'air dans son assiette. Bon, il n'avait plus qu'à se dépêcher de faire ses courses. Pour qu'elle lui dise enfin ce qui n'allait pas.

Il partit d'un bon pas, balançant son casque à bout de bras.

Salomé grimpa sur les remparts à la tour de Constance. Elle fut ravie de constater qu'il n'y avait pas trop de monde. L'été n'était pas encore là, avec ses cargaisons de touristes.

Elle se perdit un bon moment dans la contemplation de la petite cité, resserrée frileusement entre ses hautes murailles. Puis entreprit d'en faire le tour à pas lents, son casque sous le bras.

Soudain, des voix interrompirent ses ruminations.

— Je te dis que ces remparts ont été construits par Saint Louis! disait un homme corpulent à sa femme.

— Faux! ne put s'empêcher d'intervenir Salomé.

Le couple se tourna vers elle, interloqué.

— Ah bon? dit l'homme. Je croyais pourtant que Saint Louis les avait fait construire en même temps que la ville. Pour protéger la cité.

Salomé sourit.

— Tout le monde croit cela. Mais en réalité, la seule protection, du temps de Saint Louis, était la tour de Constance. Ce sont ses successeurs qui ont fait ériger les remparts.

— Lesquels?

— Philippe le Hardi et Philippe le Bel.

— Dites-moi, vous avez l'air de bien connaître.

— Je suis de la région.

— Et tiens, vous vous souvenez par quelle porte est entré Charles Quint, quand il est venu voir François Ier? Je n'arrive plus à retrouver.

— Ouh là, attendez... la porte de... la porte de la Marine, si je ne me trompe pas.

Ils firent le tour complet des remparts en devisant, puis le couple s'en fut visiter la tour de Constance. Salomé musarda dans les ruelles avant de prendre la direction de la place Saint-Louis.

Raphaël n'était pas encore arrivé. Elle trouva une table libre, s'installa et commanda un panaché.

— Alors, gazellou, on rêve ?

— Te voilà ! Que veux-tu boire ?

Raphaël s'assit à côté d'elle, fit signe au garçon et commanda un Schweppes. Ils burent en silence.

— Bon. Qu'est-ce qu'il y a, p'tit moineau ? Tu parais bizarre, depuis tout à l'heure.

— Non, pas bizarre. Je me pose des questions.

— A propos de ?

— Dis-moi, une question d'abord. Ton père...

— Paul ?

— Non. Le vrai. Le génétique.

— Le toréador à la mie de pain ? Oui, eh bien ?

— Camille t'a dit comment il s'appelait ?

— Pourquoi tu me demandes ça ?

— Réponds, Raphaël.

— Oui, elle me l'a dit. Mais je ne me souviens plus très bien.

— Mais encore ?

— Pablo... quelque chose. Son nom ne me revient pas.

— Ce ne serait pas Ortega ?

— Possible.

Raphaël se concentra, tâchant de rassembler ses souvenirs.

— Ou Perez ou Ramirez. Quoique. Je crois que ça finissait par un *a*. Mais enfin, pourquoi me parles-tu du joueur de castagnettes ?

— Je me demande si je ne l'ai pas vu, ce matin, dit Salomé, les yeux fixés sur la statue de Saint Louis.

— Hein ?

— Oui.

80

Raphaël se mit à rire.

— Alors, tu serais forte ! Personne ne sait à quoi il ressemble ! Maman avait détruit toutes les photos...

— Oui mais... suppose qu'on ne le sache pas.

— On ne le sait pas. Et puis on s'en fout. Attends, Salomé, c'est à cause de cet abruti que tu te tournes les sangs ?

— Laisse-moi finir. Suppose donc...

Elle cherchait ses mots.

— Suppose donc que... que ce soit toi qui lui ressembles... comme deux gouttes d'eau.

— Je m'en voudrais, de ressembler à ce clown !

— Oui mais suppose. C'est possible, non ? Maman et papa ont toujours dit que tu ne ressemblais pas du tout à Camille.

— C'est vrai.

— Alors c'est possible ?

— Oui, admit-il à contrecœur.

— Bon. Maintenant suppose... je reste dans les suppositions, okay ?

— Okay.

— Donc, suppose que... que je l'aie vu ce matin.

— Ridicule.

— Suppose quand même.

— Absurde. Que foutrait-il aux Saintes, tu peux me dire ?

— Je ne sais pas, moi ! Peut-être est-il en vacances... Peut-être est-il venu pour te voir... je sais pas !

Perplexe, Raphaël caressa les cheveux de Salomé tout en la dévisageant.

— Où veux-tu en venir, mon gazellou ?

— Pff, je sais pas. Bon, mettons que tu te retrouves un jour en face de lui.

— Je lui casse la gueule ! répondit Raphaël en

riant. Mais pour ça, faudrait déjà que je sache que c'est lui.

Salomé se tourna vers lui et le dévisagea. Attentivement. Elle leva un doigt et suivit de l'ongle la minuscule fossette qu'il avait au menton. Il la laissa faire.

Elle secoua la tête.

— Je suis persuadée que je l'ai vu ce matin.

— Mais où ça, bon sang ?

— Aux Saintes.

— Tu as rêvé, p'tit moineau.

— Je te jure que non. Il m'a même bousculée...

— Hein ? rugit le jeune homme. Alors je lui casse doublement la gueule !

Salomé ne put s'empêcher de sourire.

— Pas de panique ! Il ne l'a pas fait exprès, c'est moi qui ne regardais pas devant moi. Je ne suis même pas tombée, alors...

— Alors ?

— Eh bien alors, quand il m'a rattrapée et m'a dit pardon, j'ai trouvé que sa voix ressemblait étrangement à la tienne. Alors j'ai levé les yeux vers lui. Et là...

Raphaël passa un bras sur son épaule.

— Continue.

— Et là, je t'ai vu !

— Promis juré, j'étais au bureau, ce matin. Avec Paul.

— Je sais bien que ce n'était pas toi. Mais c'était toi quand même. Avec vingt ans de plus. Même taille, même teint, mêmes cheveux, mêmes yeux, même bouche, presque même visage et même voix...

— Tu as pu te tromper...

— C'est ce que je me suis dit aussi. Seulement à ce moment-là, il m'a parlé. En espagnol.

— ...

— Alors je lui ai demandé son nom.

— Et?

— Il ne m'a pas dit le prénom. Mais il est espagnol... il s'appelle Ortega.

Raphaël donna un violent coup de poing sur la table. Salomé eut juste le temps de rattraper les deux verres qui s'envolaient.

— Si tu ne t'es pas trompée, si ce fumier, cet enfant de salaud est vraiment là... je te jure, je le massacre! Qu'est-ce qu'il t'a dit d'autre?

— Pas grand-chose. Je lui ai demandé ce qu'il faisait aux Saintes.

— Et alors?

— Ben, euh... il m'a répondu qu'il se promenait, mais à mon avis il mentait.

— C'est tout?

— Oui. Je me suis sauvée, après. J'avais l'impression que j'allais devenir fada si je restais plus longtemps en face de ce type.

— Oublie ça, ma gazelle. Oublie, va. Même si c'était lui — ce dont je doute quand même un peu — il ne mérite pas que tu te tournes les sangs.

— C'était lui, Raphaël, j'en suis sûre.

— Oublie. On verra bien ce qui se passe ensuite. On y va?

— On y va.

Ils repartirent bras dessus bras dessous vers la moto.

Sans plus prononcer un seul mot.

— Enfoiré! hurla Raphaël, alors qu'une voiture les serrait sur le bas-côté.

Collée contre lui, bras autour de sa taille, Salomé sourit tristement. Raphaël avait beau tenter de le cacher, il était en colère. C'était rare qu'il pilotât ainsi. Ils rentraient à un train d'enfer, moteur rugissant. Salomé se nicha contre lui et ferma les yeux. Même énervé, Raphaël était un excellent pilote. Elle n'avait pas peur.

11

Onze heures. Assise sur son banc, Salomé fumait une cigarette en rêvassant. L'étang des Launes scintillait sous la lune. Calme. Magnifique. «*Tu avais raison, cher Baudelaire*, murmura la jeune femme, les yeux perdus sur la surface miroitante de l'étang, *à cette heure-ci, tout est luxe, calme et volupté.*»

Salomé attendait.

Elle entendit un bruit, au loin. Et sourit. Ses oreilles percevaient un martèlement sourd de sabots. Le cavalier approchait. Elle savait qu'il viendrait. A chaque fois qu'il était préoccupé, qu'il ne pouvait pas dormir, il enfourchait son Crésus sans prendre le temps de le seller et partait galoper sous la lune. Comme elle, d'ailleurs. Mais ce soir, elle savait également qu'il n'aurait pas envie de galoper seul.

Le cavalier s'arrêta devant le petit portail de sa cabane. Elle ne bougea pas, les yeux toujours fixés sur le lac.

Raphaël s'assit à côté d'elle, passa un bras autour de ses épaules et la serra contre lui. Elle nicha sa tête contre son torse.

— Tu veux aller sur la plage? chuchota-t-elle.

— Oui, répondit-il sur le même ton.

Salomé se leva et siffla doucement. Job apparut au coin de la cabane. Il n'avait pas de selle mais sa bride. Raphaël regarda l'étalon avant de se tourner vers Salomé.

— Tu m'attendais?

— Oui.

— Tu savais que je viendrais?

— Oui.

Il la serra contre lui. Très fort. Salomé se haussa sur la pointe des pieds, déposa un baiser doux sur sa joue et sauta sur le dos de Job. Raphaël lui ouvrit le portail avant d'enfourcher Crésus. Ils partirent en direction de la mer. En silence.

La plage, immense, était déserte et paisible. La mer étale scintillait. Seuls quelques friselis d'argent moiraient sa surface. Les cavaliers s'arrêtèrent un instant.

Calme, le doux bruissement des vaguelettes venant lécher le sable. Apaisante, l'immense étendue de sable déserte. Rassurant, l'astre qui, depuis le ciel, baignait le paysage d'une lumière douce. Une lumière sereine. Une lumière propre à retrouver la quiétude perdue.

Au bout du pays de France, entre les deux bras de ce seigneur imprévisible et capricieux qu'était le Rhône, dans cette plaine rebattue par les vents, cette terre de marais et d'étangs, cette terre aride et pourtant puissante, là était la raison d'être des deux cavaliers silencieux sous la lune.

Ce pays de taureaux et de chevaux était le leur. Ici étaient leurs racines. Lui, le jeune Arlésien devenu camarguais de cœur et elle, la fille du vent.

Immobile, les yeux fermés, Salomé humait le parfum de l'iode. Comme toujours lorsqu'elle venait la nuit sur la plage, son esprit s'apaisait.

Elle laissait la plénitude environnante l'envahir lentement.

Immobile également, Raphaël sentait ses nerfs se relâcher tout doucement. Son esprit en ébullition, sa colère se calmaient peu à peu. Il inspira à pleins poumons l'air tiède de la nuit.

Mais il lui fallait plus pour retrouver la paix. Un galop à bride abattue sous la lune. Il piqua des deux. Sans même ouvrir les yeux, Salomé laissa la bride sur le cou à Job. Qui emboîta aussitôt le sabot à Crésus.

Au ras de l'eau, deux cavaliers galopaient à fond de train dans des gerbes d'écume. Un homme, une femme cheveux au vent. Quiconque les eût vus, à cet instant-là, les eût immanquablement comparés à deux centaures partant troubler les noces de Pirithoos, roi des Lapithes. Deux centaures prêts au combat. Un combat contre des fantômes, une lutte contre des démons bien connue de Salomé, une lutte que découvrait Raphaël.

Lorsqu'ils s'arrêtèrent enfin, très loin des Saintes, les deux chevaux avaient l'écume aux naseaux. L'homme et la femme se laissèrent glisser à terre afin de faire reposer leurs montures. Bras dessus bras dessous, serrés l'un contre l'autre, ils s'assirent sur le sable et contemplèrent la mer. En silence.

Puis Raphaël poussa un profond soupir.

— Ça va mieux? murmura Salomé, nichée contre son épaule.

Il déposa un baiser sur sa chevelure odorante.

— Oui.

— Oublie tout ça, vaï. Je n'aurais pas dû te le dire.

— Si, tu as bien fait, répondit-il, la bouche toujours dans ses cheveux.

Le silence revint. Seule la mer chuchotait tendrement. Ils n'avaient pas besoin de parler. Il leur suffisait d'être là. Ensemble. Sous la lune. Seuls.

D'une main légère, Raphaël caressait les cheveux emmêlés de Salomé. Puis il poussa un profond soupir et se laissa aller en arrière, sur le sable. Salomé s'allongea à côté de lui, appuyée sur un coude.

— Tu as envie de parler?

— Oui. Non. Je ne sais pas. Tout est si confus.

— A cause de moi...

— Non, Salomé, non. Je te l'ai dit, tu as bien fait. Mais... enfin, je... si tu as raison, si c'est lui...

— Oui?

— Merde! Je ne sais plus quoi penser... tu comprends, j'ai toujours considéré que j'étais orphelin. Et là... si c'est lui... si c'est vraiment lui... et si je me retrouve en face de lui... comment vais-je réagir?

Salomé sourit.

— Tu ne comptes plus lui casser la gueule?

— Pff... je ne sais pas. Je ne sais vraiment pas.

— Si c'est lui, c'est ton père...

— Mais je n'ai pas besoin d'un père! Plus maintenant. Le père qui m'a élevé, c'est Paul! Celui-ci, il n'a jamais fait que sauter ma mère. Ou plutôt l'engrosser...

— Oui, mais... savoir d'où tu viens...

— Je sais d'où je viens.

— D'un seul côté. Peut-être cela te ferait-il du bien de connaître tes origines. Toutes tes origines...

— J'ai surtout besoin de toi, ma Salomé. Ne me laisse pas. Ne me laisse plus.

— Je ne te laisserai pas. Moi aussi j'ai besoin de toi, Raphaël.

Elle se lova contre lui.

Ils restèrent silencieux, étendus sous la lune. Chacun perdu dans ses pensées.

Ils rentrèrent sans un mot, au petit trot. Lorsqu'ils arrivèrent devant la cabane de Salomé, celle-ci se tourna vers son compagnon.

— Tâche de dormir, mon Raphaël.

Il sourit.

— Je crois que ça ira, maintenant.

Salomé parut réfléchir un instant.

— Demain, tu travailles ?

— Oui, bien sûr. Mais je peux me libérer. Pourquoi ?

— Si tu veux, mais uniquement si tu veux, on peut écumer les Saintes. Voir si on le trouve...

Raphaël considéra la proposition.

— Je ne sais pas... Je te fais signe demain matin, okay ?

— Okay. Mais penses-y...

— Tu crois que...

— Eh bé, au moins, si on le trouve, on saura bien si je me suis trompée ou non, pas vrai ?

— Et si tu ne t'es pas trompée ?

— Alors là... à toi de voir. Mais comme ça, tu ne te poseras plus des questions sans fin.

— Tu as peut-être raison... Je te fais signe. Dors bien, ma gazelle.

« *Moi aussi, j'ai besoin de toi, Raphaël...* »

Incapable de trouver le sommeil, allongé dans le noir, Raphaël était obsédé par cette simple phrase. Et la ressassait sans cesse.

Salomé, Salomé... allongée entre ses bras sur la

plage déserte... Pourquoi n'avait-il pas trouvé le courage de l'embrasser? L'embrasser *vraiment*? La serrer contre lui, la déshabiller lentement, lui faire l'amour?... Dieu seul savait à quel point il en avait eu envie. Mais non. Ainsi lovée contre lui, elle avait fait preuve d'une telle confiance qu'il n'avait pu. Encore une fois. Par crainte.

Il connaissait trop bien sa gazelle...

Lorsque Salomé estimait qu'on avait brisé sa confiance, ses réactions étaient d'une violence inimaginable. Salomé... il était parfois si difficile à manier, son petit oursin! Comment parvenir à lui faire comprendre? A lui dire sans la blesser? A bousculer irrémédiablement l'ordre qu'elle avait tant de mal à rétablir dans sa propre existence? Surtout après l'avoir laissée partir avec l'autre taré? Car il l'avait bien laissée partir, tout en souffrant mille morts. Mais même à ce moment-là, il n'avait pu.

Furieux de ne savoir comment faire, Raphaël envoya un violent coup de poing dans le mur de sa chambre. Où était la solution? Existait-elle seulement, cette bon Dieu de solution?

Etendue dans son lit, Salomé n'arrivait pas à dormir. Elle pensait à Raphaël. A son père. Si cet Espagnol était son père, bien sûr. Mais elle n'avait aucun doute sur ce point. Et puis... une phrase ne cessait de la tourmenter.

«*J'ai surtout besoin de toi, ma Salomé. Ne me laisse pas. Ne me laisse plus...*»

Qu'avait-il voulu dire?

Bien sûr, qu'elle ne partirait plus! Puisqu'elle avait enfin compris que sa vie était ici. Sans homme. Et c'était très bien ainsi. Le sexe? Grâce à Yvan, elle savait comment ne pas souffrir de manque.

— Merci, mon salopard ! lâcha-t-elle à mi-voix en se tournant dans son lit.

Non ! Elle ne voulait plus penser à lui ! Plus penser à tout ça ! Mais elle n'y pouvait rien. Les souvenirs remontaient toujours. Inexorablement. Elle savait qu'ils la hanteraient longtemps. Peut-être à jamais...

Et cette angoisse... la quitterait-elle enfin un jour, elle aussi ?

Une larme coula silencieusement sur son visage, qu'elle ne prit pas la peine d'essuyer. D'autres suivraient.

Résignée d'avance face à l'inanité de sa lutte, elle laissa les souvenirs, les images remonter à la surface.

Elle était si heureuse, ce jour-là... Ce jour où elle venait d'épouser l'homme qu'elle aimait et où elle découvrait Paris. Elle était Rastignac. Prête à dévorer le monde, et la ville Lumière par la même occasion.

Elle était si heureuse... mais ce bonheur n'avait pas duré. Il avait très vite laissé place à la stupéfaction, lorsqu'elle s'était rendu compte que son mari buvait trop. Et trop souvent. Une stupéfaction qui avait elle-même laissé place à l'horreur en apprenant qu'il se droguait.

Naïve, elle s'était mis en tête de le faire décrocher. De l'alcool et de la coke. Quelle gamine ! Comme si elle avait eu quelque pouvoir sur cet homme perverti.

Gamine ? Oh que oui ! Elle avait continué à l'aimer... Comment avait-elle pu ?

Et puis étaient venues les humiliations. Diverses

et variées. Ça, il ne manquait pas d'imagination dans le domaine, ce cher, cet abhorré Yvan!

Ce dépravé s'était offert un jouet. Un joli jouet, ainsi qu'il le lui avait dit une fois. Et comptait bien le plier à tous ses caprices. Obnubilée par son amour comme par sa détermination à le sauver de l'enfer dans lequel il s'enfonçait volontairement (mais ça, elle ne l'avait compris qu'après), elle avait réussi — par miracle, certainement — à ne pas céder à toutes les dépravations que voulait lui imposer son mari. Des dépravations dont lui se régalait.

Salomé laissa échapper un rire sans joie. Oh oui, elle avait réussi à ne pas devenir ce qu'elle ne voulait pas être, mais à quel prix? Yvan l'avait détruite. Consciencieusement détruite. Pour ne pas dire scientifiquement.

Comment pourrait-elle jamais libérer son âme de toutes les horreurs qui la maculaient? Jamais elle ne pourrait rien dire. A personne.

Même pas à Raphaël.

Qu'avait-il voulu dire?

12

Assis sur le capot de sa voiture de location, garée sur un petit chemin, au bord d'un étang, carnet de croquis sur les genoux, Pablo dessinait. Il eût donné n'importe quoi pour avoir son chevalet, ses toiles, ses huiles et ses pinceaux. « Pourquoi n'y ai-je pas pensé ? » grommela-t-il pour la millième fois en terminant son croquis, avant d'en commencer un autre. *Parce que tu n'es pas venu pour peindre, cobarde !* susurra alors une toute petite voix dans son esprit.

Eh, il le savait bien, qu'il n'était pas venu pour peindre ! Mais de là à trouver le courage… Deux jours qu'il traînait en Camargue. Deux jours d'hésitation. Il savait à présent où vivait Raphaël. Il y était même allé deux fois, depuis hier. Deux fois, il avait suivi le chemin caillouteux qui serpentait entre les marais. Sans trouver le courage de pénétrer sur la propriété.

Au bout d'une heure, il replia son carnet, glissa son fusain dans la poche de sa veste et reprit le volant. Rien ne servait de rester plus longtemps en plein soleil. Il avait soif et besoin de cigarettes.

— Raphaël, téléphone !

— J'arrive ! cria le jeune homme depuis le bout de la cour.

Il piqua un sprint jusqu'au bureau et attrapa le combiné que lui tendait Magali.

— Allô ?

— Raphaël ? Je suis la mère de Mathilde.

— Bonjour madame, comment allez-vous ?

— Je n'arrive pas à joindre Salomé, pouvez-vous lui transmettre un message urgent ?

— Bien sûr, mais...

— Ecoutez, Raphaël, je n'ai pas beaucoup de temps. Mathilde a eu un accident de voiture.

— Oh non !

— Si. Pas trop grave, heureusement. Elle est à l'hôpital Imbert. Il faut que Salomé vienne la voir.

— Qu'a-t-elle, exactement ?

— Des contusions et une jambe cassée. Je file là-bas. Puis-je compter sur vous ?

— Bien sûr, madame. Je saute dans ma voiture et je vais chez elle.

— Merci, Raphaël. A bientôt.

Raphaël raccrocha lentement.

— Rien de grave, j'espère ? demanda Magali.

— Non. Enfin si. Une copine qui a eu un accident.

— Si je peux vous être utile... proposa la jeune secrétaire, un sourire engageant sur le visage.

Raphaël secoua la tête.

— Merci, Magali, mais ça ira. Si Paul me demande, dites-lui que je suis parti chez Salomé.

Sur ce, il sortit du bureau et se dirigea vers sa voiture. Magali le regarda s'éloigner, renfrognée.

Salomé par-ci, Salomé par-là... m'énerve, celle-ci ! Trop maigrichonne ! Alors que moi... et puis blond, c'est plus beau, quand même !

Elle lissa ses cheveux, très fière, puis réintégra sa place en soupirant.

Marre de m'appeler Crochu... Magali Benito, ça sonnerait bien, je trouve...

Raphaël courut jusqu'à l'atelier de Salomé, au fond du terrain. Personne. Il jeta un coup d'œil par la fenêtre. Les outils traînaient un peu partout sur l'établi. Elle ne devait pas être bien loin, sa petite maniaque, qui rangeait soigneusement tout avant de quitter son repaire. Il alla vers l'écurie, sans manquer de faire une caresse à Job. Bon, la moto était là. Donc elle avait dû aller aux Saintes.

Il la trouva au tabac, dix minutes plus tard. Elle finissait de payer son paquet de cigarettes lorsqu'il lui mit la main sur l'épaule.

— Raphaël! Quel bon vent t'amène? On ne devait se retrouver que cette après-midi, non?

— Viens, Salomé. Il faut que je te parle.

— Que se passe-t-il?

— Viens. Trop de monde par ici.

— Où on va?

— Chez toi.

— Pourquoi? Faut que j'achète du lait, aussi.

— Plus tard.

Ils contournèrent l'église en silence.

En bordure de terrasse, Pablo buvait un café, songeur. Pour une fois, il ne pensait pas à ce qu'il était venu faire ici. Non, il était ailleurs. Dans son atelier, à Séville. Il voyait naître sous ses doigts, ou plutôt sous son pinceau, les toiles qu'il peindrait à partir des croquis qu'il avait faits durant ces deux jours. Un chant d'amour à ce pays si longtemps oublié, ce pays retrouvé.

Une petite gitane aux vêtements chamarrés le tira de sa rêverie créatrice.

— La bonne aventure, monsieur ?

Il tressaillit.

— Non. Non merci.

La petite s'éloigna. Il la suivit du regard, elfe multicolore aux longs cheveux noirs et bouclés et s'apprêtait à sortir son sempiternel carnet de croquis lorsqu'il aperçut la jeune femme de la veille. Celle qui l'avait pris pour le diable. Elle venait droit vers lui.

Pablo se leva dans l'intention de lui proposer un café. C'est alors qu'il réalisa qu'elle n'était pas seule. Un jeune homme marchait à ses côtés. Pablo tourna les yeux vers lui. Et crut recevoir un coup de poing dans l'estomac.

Bon, se dit Raphaël, *on va chez elle, je fais du café pendant qu'elle range son atelier, on le boit et on file à Arles*.

Soudain, Salomé s'arrêta net et lui attrapa le coude. Il la fixa, interloqué.

— Regarde, souffla-t-elle à mi-voix.

Il suivit la direction de son regard. Et se figea.

Distants d'à peine trois mètres, deux hommes se regardaient. Deux hommes, copie conforme l'un de l'autre. Deux hommes immobiles, comme pétrifiés. Ils se dévisagèrent un temps infini, sous le regard de la jeune femme. Plus un son ne parvenait à leurs oreilles. Le temps semblait s'être arrêté.

— Raphaël, murmura enfin le plus âgé.

Accablé de remords, Pablo avait devant les yeux le jeune homme qu'il avait été vingt ans plus tôt.

Désemparé, Raphaël contemplait l'homme qu'il serait dans vingt ans.

Tout aussi muette qu'eux, Salomé regardait tour à tour les deux hommes. Ces deux hommes qui étaient père et fils. Elle n'en doutait plus à présent.

Soudain, au bout d'un instant d'éternité, lui sembla-t-il, Raphaël attrapa son bras si fort qu'il lui fit presque mal.

— Viens, ordonna-t-il en l'entraînant vers la rue Frédéric Mistral.

Elle en retrouva l'usage de la parole.

— Mais…

— Viens !

Salomé leva les yeux vers son visage, de profil. Il avait les mâchoires contractées, le regard fixe, une expression indéfinissable sur les traits. Moitié colère, moitié angoisse, moitié… plein de choses. Puis elle se retourna, tout en suivant le rythme effréné de Raphaël. L'inconnu n'avait pas bougé. Toujours à la même place, il les regardait partir, lui aussi une expression indéchiffrable sur le visage.

Ils firent la route en silence. Salomé connaissait bien Raphaël. Quand il avait une telle expression sur le visage, inutile d'essayer de parler. De toute façon, il ne décrocherait pas un mot. Et elle ne se voyait vraiment pas dans le rôle de la pipelette de service.

En quelques mots brefs, il lui avait expliqué ce qui était arrivé à Mathilde. Puis il avait préparé du café tandis qu'elle rangeait ses outils et sa terre. Ils l'avaient bu en silence.

Il connaissait son prénom.

Cette petite phrase revenait sans cesse, aussi

bien dans l'esprit de Salomé que dans celui de Raphaël. Deux esprits en ébullition.

Il connaissait mon prénom.

— Qu'est-ce qu'il disait, déjà, Totor Hugo ? «Mon père, ce salaud au sourire si doux»?

Salomé sourit tristement.

— Non, «ce héros».

— Eh bien en tout cas, ça rime.

Ce furent les seuls mots que prononça Raphaël avant de parvenir à l'hôpital.

— Eh bé, galinette, qu'est-ce que tu nous as fait, là?

Mathilde sourit en voyant arriver son amie.

— Je n'arrivais pas à trouver une place, alors j'ai plié la voiture. Le problème, c'est que j'ai oublié une jambe à l'intérieur avant de procéder au pliage.

Salomé ne put s'empêcher de rire. Au moins, son amie avait bon moral!

— Non, raconte vraiment.

— Ben rien. Enfin, presque. J'ai heurté une libellule en plein vol.

— Une libellule?

— Vi vi. Seulement elle partait guerroyer, alors elle avait mis son armure. Moralité, une patte cassée.

— Eh ben! Et elle ressemblait à quoi, ta libellule Malbrough-s'en-va-t'en-guerre?

— Rouge à pois noirs. Mignonne, la coccinelle.

— Et?

— Ben… devait être pressée de rejoindre son bataillon. M'a brûlé la priorité. Et les ailes par la même occasion.

— Ta voiture est foutue?

— Pliée, je t'ai dit.

— Et toi ?

— A part ma gambette, ça va. Ils veulent me garder quelques jours, histoire de voir si tout va bien, mais ensuite m'ont promis de me mettre en plâtre de marche.

— Mouais. Et tu t'es récolté un beau coquard, en prime.

— Pas grave. Ça ajoute à mon charme naturel. Comment as-tu su ?

— Par l'homme qui a vu l'homme qui a vu l'homme qui a vu l'ours, pardi !

— Non, sérieux. Ma mère ?

— Bien sûr, pitchounette. Elle a appelé Raphaël, qui est venu me chercher.

— Ah ? Et où est-il, ton cœur de loup ?

Salomé tressaillit.

— Arrête ! Il est parti faire un tour.

— C'est vrai qu'il n'aime pas les hôpitaux.

— Pas de sa faute, ça lui fout le blues. Et aujourd'hui... pas vraiment le jour.

— Quoi qui va pas ?

— Oh rien... enfin tout. Je te dirai quand j'en saurai plus.

13

En cette mi-mai, les oliviers de Bohême embaumaient les Saintes. Leur parfum sucré donnait un air de fête au pays, prémices du prochain pèlerinage des Gitans.

Une voiture filait sur l'autoroute reliant Arles à Marseille. Les mains crispées sur le volant, Pablo clignait des yeux sous l'éblouissant soleil de mai. Ce n'était encore pas cette année qu'il pourrait emplir ses narines de la senteur des oliviers. Son avion décollait trois heures plus tard. Juste le temps d'arriver à Marignane et de rendre sa voiture de location.

Il n'avait pas revu Raphaël. Son fils. Depuis trois jours, depuis cette rencontre inopinée, il avait tourné en rond. Que faire ? Aller le voir ? Le laisser digérer le fait qu'il s'était retrouvé nez à nez avec son père ? A tout hasard, Pablo avait passé la majeure partie de son temps à la terrasse où il était ce jour-là. Dans l'espoir bien faible que Raphaël reviendrait. Rendez-vous tacite. Rendez-vous manqué. Il n'avait revu ni le jeune homme ni la jeune femme qui l'accompagnait.

Il partait, à présent.

*Camille, Camille… me pardonneras-tu, un jour?
Ton fils, notre fils, me pardonnera-t-il? Je me sens
tellement coupable… Mais pourquoi me pardonne-
rais-tu, si tu me vois? Aussi couard aujourd'hui
qu'il y a trente ans. Bien sûr, je pars plus vite que
prévu, Camille, mais t'avouerai-je que ce contre-
temps me… m'accorde un répit? Mais je reviendrai,
Camille, je te le jure. Je reviendrai…*

Marignane, un kilomètre. Il actionna son cli-
gnotant.

Il partait.

Une semaine plus tard, veille du pèlerinage,
Salomé frappa à la porte de la cabane de Raphaël.

— Entre!

Il préparait du café.

— Installe-toi, j'arrive. Du lait dans ton café?

— Oui, j'ai apporté les croissants.

— Super.

Salomé disposa les croissants sur une assiette
avant de s'asseoir sur la banquette recouverte de
cretonne provençale. Elle attrapa machinalement
la pile de courrier et en fit l'inventaire.

— Pas encore ouvert ton courrier?

— Non. Le ferai après le 'tit déjeuner. De toute
façon, il n'y a que des factures, comme d'habitude.

— En effet.

Soudain, le regard de la jeune femme s'arrêta
sur une adresse manuscrite. Puis remonta vers le
timbre. *España.* Curieuse, elle la retourna. Aucune
adresse au dos.

— Eh, tu as vu?

— Quoi donc, ma gazelle?

— Une lettre d'Espagne! C'est pour ça que je
ne l'ai pas revu… fit-elle, songeuse.

— Ah, celle-là ! Ça fait trois jours qu'elle est là.

— Et tu ne l'as pas ouverte ?

— Non.

— Mais elle doit certainement venir de ton père !

— Je sais. Elle a été postée à Séville.

— Et alors ?

— Et alors j'ai de la mémoire. Maman m'avait dit qu'il était sévillan.

— Mais bon sang, ouvre-la !

— Pas envie.

Salomé hésita.

— Dis, je peux ?

— L'ouvrir ? Si ça t'amuse.

Salomé déchira l'enveloppe, en sortit deux feuilles de papier et les déplia.

— Belle écriture, en tout cas.

— M'en fous.

— Tu veux que je te la lise ?

— Surtout pas.

Salomé lui jeta un regard de côté, puis entreprit de lire la missive.

Raphaël,

Je sais que tu ne veux pas me voir. Et je le comprends. Mais il faut que tu saches. Il faut que je t'explique. Je te conjure de lire cette lettre jusqu'au bout. J'aurais préféré te dire tout ceci de vive voix, face à face, mais je suis obligé de rentrer ce matin en Espagne. Mon père — ton grand-père — vient de faire une crise cardiaque.

Je suis dans l'avion qui m'emmène à Madrid. Un autre vol me conduira ensuite à Sevilla. Tu vois, j'ai le temps de rédiger ma confession. Je posterai cette lettre en arrivant chez moi, tout à l'heure.

Tout d'abord, je ne cherche pas à me justifier.

Por Dios no! Je n'ai pas d'excuses pour ce que j'ai fait à ta mère. Pour ce que je t'ai fait, mon fils. Je veux juste t'expliquer qui j'étais, ce que j'étais.

Un jeune homme de vingt ans, espagnol de surcroît (ça a son importance, tu comprendras en me lisant). Donc, un jeune homme de vingt ans. Tu as eu vingt ans, Raphaël. Et tu sais forcément ce qu'on est, à cet âge-là. Un jeune chien qui croit que le monde lui appartient. Orgueilleux et égoïste. Inconséquent.

Je ne peux m'empêcher de hurler lorsque j'entends les gens dire que c'est le plus bel âge de la vie. On croit tout posséder, oui, alors qu'on ne possède rien que sa jeunesse. Et en même temps on a peur. Une peur folle de ne pas y arriver, de louper le coche, bref, de rater sa vie. Rappelle-toi les paroles de Léo Ferré. «Pour tout bagage on a vingt ans et l'expérience des parents...» Il avait raison. A vingt ans on ne sait rien.

J'ai aimé ta mère comme un fou. Comme un jeune chien fou. Je te l'ai dit, le monde m'appartenait. Et moi, jeune peintre, jeune imbécile prétentieux venu mettre mes pas dans ceux de Van Gogh, je ne faisais pas exception à la règle. Nous avons vécu deux ans d'amour et d'insouciance. Jusqu'au jour où elle m'a annoncé qu'elle était enceinte.

Le rouge de la honte me monte encore au visage lorsque je repense à mon attitude, ce jour-là. Je me suis conduit comme un porc, mon fils. J'ai fait mes bagages et je suis rentré chez moi. Avec pour seule excuse — qui n'en était pas une — la peur. Une peur panique.

J'étais espagnol. En ce temps-là (dans les années soixante-dix) Franco n'était pas mort. La religion, la morale des curés pesaient comme un couvercle sur l'Espagne. Sur mon pays. Pour te donner un exemple, il a fallu que j'arrive en France pour apprendre ce qui s'était passé ici en mai soixante-huit. L'information était muselée à un point inimaginable.

De même étaient les esprits. Il ne fallait pas penser trop fort si on ne disait pas Amen à chaque coin de rue. C'est pour cela que j'étais venu étudier en France. Pour ne pas me soumettre à la morale. Pour peindre. Pour vivre libre. Si j'étais resté, je me retrouvais marié à dix-huit ans.

Et voilà que, à peine deux ans plus tard, je me retrouvais confronté à ce pour quoi j'avais fui. En Espagne à cette époque, on épousait obligatoirement une fille qu'on avait mise enceinte. Je ne te parle même pas des punitions pour avoir péché hors du mariage...

C'est la peur qui m'a fait fuir, Raphaël. La peur et la lâcheté. Je voulais vivre. Et je n'ai aucune excuse.

Tu dois te demander, mon fils, pourquoi je reviens tout d'un coup, après presque trente années. Il y a quelque temps, j'ai ressenti le besoin de soulager mon âme de ce poids. Et j'ai tout raconté à ma femme, Francesca. Je l'ai épousée cinq ans après mon retour à Sevilla.

C'est elle qui m'a poussé à revenir. Pour te connaître. Pour te demander pardon. Pour, si tu le désires, bien évidemment, que tu puisses connaître tes deux frères. Oui, tu as deux frères, Raphaël. Luis a vingt-deux ans, Manuel vingt-trois.

Dès que mon père ira mieux, je reviendrai. Libre à toi, alors, de me pardonner ou de me rejeter. Je ne t'en voudrai pas. Mais, pour la première fois depuis *très longtemps, je prie. Je prie pour que mon fils me pardonne.*

Adios, hijo mío.

Pablo Ortega

P.-S. *Camila t'a donné le prénom de mon père. J'en suis heureux. C'est un grand monsieur.*

Salomé posa la lettre sur la table. Elle demeura silencieuse un bon moment, songeuse. Puis se tourna vers Raphaël.

— Tu devrais la lire.

— Pour quoi faire ?

— Pour quoi faire ? Tu en as de bonnes, toi ! Pour savoir ce qu'il a à te dire, pardi !

— Que veux-tu que ça me fasse ? S'il voulait me parler, il n'avait qu'à rester, et ne pas se barrer alors que je ne faisais encore que trois centimètres dans le ventre de ma mère.

Salomé entreprit de remuer son café en poussant un faible soupir.

— Tu fais la gueule ? demanda Raphaël en mordant dans un croissant.

— Pas du tout. Je touille mon café. Faut de la concentration pour touiller harmonieusement le café au lait du matin, faut pas croire.

— C'est nouveau, ça.

— Voui. Ma nouvelle philosophie de l'existence. Accorder de l'importance aux petites choses. Puisque les grandes n'existent plus.

Raphaël cessa immédiatement de manger pour la regarder, suspicieux.

— Ça va, toi ?

— On ne peut mieux, rétorqua son amie d'un air bravache.

— Sûr ?

— Certain. Et puis d'abord, je ne suis pas venue pour ça, mais pour te demander à quelle heure je dois être caparaçonnée demain matin.

— Caparaçonnée ? Tu fais cheval dans une corrida ?

— Non, bêta. Mais j'étouffe, dans mon costume d'Arlésienne.

— Ah ! fit Raphaël en riant. Bon, eh bien harnache-toi pour neuf heures. Je passerai te prendre sur mon fier destrier vers cette heure-là.

— Je serai prête. Enfin… si je ne suis pas morte étouffée sous les jupons.

— Allons, tu l'aimais bien, ton costume, avant.

— Oui, mais je supporte de moins en moins d'avoir sur le dos assez de tissu pour draper Notre-Dame. En faisant des bouillonnés.

Ils terminèrent leur petit déjeuner en bavardant de choses et d'autres. Puis Salomé se leva, ramassa les miettes, les tasses vides et les porta à la cuisine. Elle plaqua un baiser sur la joue de Raphaël, reprit la lettre et la mit bien en évidence sur la table. En plein milieu.

— Lis-la. Quand tu seras redevenu intelligent. Puis elle s'en fut.

14

Les gardians défilaient à cheval, longeant la place Mireille pour se diriger vers la place des Gitans. Montée en amazone derrière chacun d'entre eux se tenait une Arlésienne en costume traditionnel, coiffe de dentelle et velours, grande jupe et plastron, de dentelle également. Une jeune touriste italienne mitraillait à tout va de son appareil photo, ne voulant perdre aucune miette du spectacle. Ses yeux s'ouvrirent tout grand tandis que ses mains laissaient mollement retomber l'appareil sur son ventre. La beauté du jeune couple qui venait d'apparaître à son regard éclipsait largement tous les autres. Elle saisit la main de son mari et lui souffla «Regarde ces deux-là!» à l'oreille.

Elle détailla le gardian, au port de tête si droit, à la posture si noble. Ses cuisses longues et musclées moulées dans le pantalon en peau de taupe beige clair, ses épaules qu'on devinait larges et vigoureuses sous la chemise provençale et la veste noire, sa chevelure brun-noir s'échappant du chapeau à large bord, son visage enfin, bruni par le soleil, aux traits à la fois marqués et fins, sa bouche sensuelle, ses yeux d'un bleu profond. Puis l'amazone derrière lui, si mince et déliée dans son costume traditionnel, au port aussi noble que celui de son compagnon.

— Elle a un visage de madone, dit la touriste à son mari.

— Tu as raison, renchérit-il. On pourrait presque croire qu'ils sont frère et sœur, s'ils n'avaient pas les yeux si différents.

L'Arlésienne avait en effet les yeux d'un vert d'eau quasiment impossible à décrire, des yeux immenses qui semblaient lui manger la figure, des yeux dans lesquels on avait envie de se noyer. « Des yeux à faire damner un saint dans un visage de madone, quel mélange diabolique ! » pensa l'Italien en riant intérieurement. Des yeux qui faisaient passer la bouche, douce et pulpeuse, les cheveux presque aussi noirs que ceux de son compagnon, les pommettes hautes et l'attache si fine du cou à l'arrière-plan.

Indifférents, blasés, les gardians dépassèrent la mairie et obliquèrent à droite, longeant le front de mer en direction des arènes. Impassibles. Ils savaient figurer sur à peu près un millier de photos chaque année et connaissaient par cœur les commentaires qui accompagnaient lesdites photos. Il y était partout, dans tous les coins du monde, question de ces « guardiannnesss » ou « gardianès » ou autres « gouardiennes » selon l'accent utilisé. Et le touriste, très bien renseigné, bien sûr, finirait immanquablement son petit discours par un : « Ils sont beaux dans leurs habits de fête, on ne dirait pas que ce sont de simples vachers, les cow-boys de la Camargue ! »

Ils s'en moquaient. Ils savaient ce qu'ils valaient. Ils connaissaient la noblesse de leur tâche, sa difficulté aussi, ses risques parfois. Ils n'avaient cure de ces remarques, si désobligeantes fussent-elles. Ils voulaient bien amuser, épater le touriste, parader devant lui, mais ne l'admettaient certainement pas dans leurs fêtes. Aussi les baigneurs (ainsi qu'ils appelaient souvent les touristes) avaient plus de chances de croiser le regard de leurs chevaux que le leur, obstinément fixé sur l'horizon, lors des défilés.

Raphaël adressa un petit signe de la main indiquant qu'il revenait à son voisin, un jeune homme d'une vingtaine d'années qui travaillait avec lui depuis deux ans, et dirigea sa monture vers la rue du Grenier à Sel. Il se tourna vers Salomé.

— J'ai promis à Antoine de passer le prévenir que nous arrivions.

— Tiens, au fait… pourquoi n'est-il pas avec nous ?

— Il a encore voulu jouer au jeune raseteur l'autre jour. Seulement, le cocardier[1] était plus vif. Moralité, une patte cassée. Et la gloire pour le taureau…

Salomé éclata de rire.

— Toujours aussi fada, lui !

— Eh !

Ils tournèrent à gauche dans la rue Victor Hugo. Raphaël fit arrêter sa monture un peu plus loin et émit un long sifflement. Une fenêtre s'ouvrit au premier étage et une tête rigolarde apparut à la croisée.

— Salut les amoureux ! Je vous attendais.

— Attrape ta béquille et arrive, amigo.

— Et si tu nous appelles encore comme ça, je te jure que je te fais un croche-patte à la première occasion ! renchérit Salomé.

1. Taureau camarguais qui porte sur le frontal la cocarde que doivent lui enlever les raseteurs.

Antoine laissa éclater un rire sonore, qui résonna entre les murs de la rue pavée.

— Oh galinette, tu oserais t'attaquer à un pôvre estropié ?

— Elle se gênerait, la galinette !

Ce fut un pauvre estropié hilare qui referma la fenêtre tandis que les deux cavaliers éclataient de rire.

Ils rejoignirent les autres gardians tandis que leur ami pédalait sur ses béquilles pour rejoindre l'église d'où sortirait bientôt la procession.

Une foule compacte attendait, massée autour de l'église fortifiée. Les gardians se réunirent sur le côté tout en calmant leurs chevaux. Leurs compagnes habillées en Arlésiennes sautèrent prestement à terre.

Les cloches sonnaient à toute volée.

Soudain, une clameur s'éleva de mille gorges alors que s'ouvraient les deux battants de l'immense portail.

— Les voilà !

Les fidèles les plus proches de l'entrée virent alors la nef des Saintes-Maries-de-la-Mer, Marie Jacobé et Marie Salomé, descendre lentement l'allée centrale, portée religieusement par des gitans en tunique blanche.

En ce 25 mai, après la grand-messe, était célébrée la «bénédiction à la mer», clou et fin du pèlerinage. La veille, les châsses contenant les reliques des saintes avaient été descendues de la chapelle haute. Sarah la Noire, servante de Marie Jacobé et de Marie Salomé et sainte patronne des gitans avait, elle aussi, été sortie de sa crypte et portée à la mer par ses fidèles, venus de toute l'Europe.

La nef sortit de l'église, suivie par les dignitaires ecclésiastiques, des prêtres, les membres de confréries religieuses portant haut leur bannière et les Arlésiennes. C'était au tour des gardians. Deux par deux, trident levé, fiers cavaliers gardians des traditions, ils prirent place dans le défilé au pas lent de leurs chevaux. La multitude des fidèles et des touristes venus de partout leur emboîta alors le pas.

Par les ruelles étroites du village, la procession se dirigea lentement vers la mer, ponctuée par les chants religieux et les invocations aux saintes. Des gitans tentaient désespérément de fendre la foule pour pouvoir toucher les statues, en d'émouvantes implorations.

Arrivés à la mer, les porteurs de la nef s'approchèrent d'une barque retournée, proue pointée vers le large, puis entrèrent dans l'eau. Les gardians les suivirent et firent cercle autour d'eux. Les Saintes furent promenées au-dessus des flots et longuement aspergées d'eau de mer. Puis ce fut la bénédiction à la mer.

Le cortège se reforma et prit le chemin du retour vers l'église. La nef pénétra dans l'allée centrale aux accents glorieux du Magnificat. Puis la foule se dispersa. Les châsses ne seraient remontées dans la chapelle haute que l'après-midi.

— Tu viens ? Je te ramène, dit Raphaël à Salomé.

— Okay.

Un des gardians se pencha, attrapa Salomé par la taille et la souleva. Elle s'assit en croupe, derrière Raphaël.

— Joli, ce costume, mais pas pratique !

Il rit et dirigea sa monture vers la rue Frédéric-Mistral.

— Je t'invite au restaurant, ce soir. Enfin, si tu en as envie.

— Eh eh, on joue les milord? Tu parles, que je n'ai pas envie... Où tu m'emmènes?

— Où tu veux, ma reine.

— Alors Ta Majesté décide... attends que Ta Royauté pense à ce qu'elle aimerait déguster...

— Mais encore?

— Silence, valetaille! Ta Grâce cogite.

— Aïe, mon porte-monnaie!

— Meuh non... chuis pas comme ça. Tiens, je sais! Si on allait chez Pierre et Josette?

— A l'Impérial? En voilà une idée qu'elle est bonne! Excellente, même.

— Ta Seigneurie n'a *que* de bonnes idées, qu'on se le dise.

— Et le répète. Pardon, ma reine, j'avions oublié.

— Mon immense bonté te pardonne. C'est fête aujourd'hui. Eh eh, je vas commencer par un petit planteur de derrière les cannes à sucre... je te dis que ça!

— Ivrognette!

— Peut-être, mais royale, siouplaît. Et puis... ah je sais! Cassoulet d'escargots aux pignons de pin et sole à la noix de coco!

— Quelle gourmande! Mais dis-moi, tu connais la carte par cœur, ma parole...

— Je sais ce qui est bon, moi.

— Alors je suppose que le tout finira dans l'apothéose d'un fondant au chocolat. Je me trompe?

— Euh... pas franchement! Et toi aussi, tu connais la carte, espèce de fourbe!

— Iznogoud, à votre service, mâme.

— Bon, eh bien en attendant ce repas de gala, je vais travailler.

— Ça avance ?

— Oui, mais il me reste trois pièces à faire pour l'expo de juillet, à Paris. Moralité, faut pas que je lambine. Je ne suis pas trop inspirée, en ce moment...

15

Ah elle était bien passée, la fête. Finie la liesse. Finis les chants gitans, partout au coin des rues. Finies les voix rauques qui s'élevaient vers le ciel, sombres incantations, vibrantes mélopées. Finie la ferveur qui transportait Salomé à chaque fois qu'elle entendait un lamento gitan s'élever dans la nuit chaude de mai, narines saturées du parfum des oliviers de Bohême. Ces oliviers qui fleurissaient justement lors de la fête des bohémiens...

Adieu, frères gitans.

A l'année prochaine.

Les gens du voyage avaient repris leur route vers de nouveaux soleils. Parties, les caravanes par centaines. Partis aussi, les touristes. La place des Gitans était revenue aux joueurs de pétanque, les trottoirs aux piétons. Chacun, aux Saintes, retournait à sa routine.

Et Salomé à sa solitude.

Elle s'enfonçait lentement.

Elle travaillait d'arrache-pied, tentant ainsi de combattre cette résurgence de la dépression nerveuse. Elle qui croyait s'en être définitivement débarrassée en rentrant à la maison... n'avait-elle réussi qu'à la bâillonner momentanément ?

Elle travaillait. Mais son travail ne lui plaisait pas. Œuvres informes, difformes, affreuses. Cent fois par jour elle écrasait rageusement sa motte de terre et en reprenait une nouvelle. Sans plus de résultat.

Alors elle sortait de l'atelier, presque au pas de course, sifflait Job et partait avec lui errer dans les marais.

Ou sur la plage.

N'importe où.

Sur son dos elle ne se posait plus de questions. Elle se contentait de vivre.

Une après-midi où elle errait dans le village, à pieds pour une fois, la tête vide et le regard perdu dans le vague, elle sursauta en sentant une main ferme empoigner son bras.

— Coline ! Tu m'as fait peur...

La vieille gitane la dévisagea sans répondre. Puis agita un doigt sous son nez.

— Toi, je t'ai déjà dit de venir me voir quand ça va pas.

— Mais ça va, Col...

— Ne mens pas, veux-tu ? Pas à moi.

Salomé baissa la tête.

— Pardon Coline. Je ne voulais pas...

— Je sais. Tu ne veux jamais inquiéter les gens qui t'aiment, pas vrai ?

— Ben...

— Et mes conseils, tu en fais quoi ? Ils t'ont pourtant souvent aidée, non ?

La jeune femme ne répondit rien. Que dire, à sa vieille amie gitane ? Elle avait raison, bien sûr. Elle eut soudain envie de pleurer.

— Allez, pas de ça ! lança Coline en voyant une

larme perler à ses yeux. Dis-moi plutôt ce qui ne va pas, avant que je le devine.

— Rien… tout. Je suis paumée.

— Donne ta main.

— Non !

— Donne, je te dis ! s'écria la gitane en lui attrapant la main.

Résignée, Salomé la lui abandonna.

Coline en lissa la paume d'un geste très doux avant de la scruter attentivement.

— Eh bien…

— Quoi donc ? demanda Salomé, inquiète.

— Il y a eu du changement, depuis la dernière fois…

Elle releva la tête pour fixer Salomé.

— Et pourquoi tu t'inquiètes, ma fille ?

Salomé ouvrit des yeux tout ronds en la voyant rire.

— Tu te souviens que je t'avais prédit une sale période ?

— Oui, bien sûr…

— Eh ben elle est passée ! lança gaiement Coline avant d'étudier de nouveau la main. Tu… ça a été dur, je le vois là… mais tu es sortie d'affaire, à présent. Même si tu ne le sais pas encore.

Salomé ne parvint même pas à se sentir ragaillardie par l'annonce de son amie.

— Tu… tu es certaine ? Pourtant… je croyais qu'elle était devant moi…

— Derrière, ma fille, derrière ! Réjouis-toi un peu… je ne vois plus que du bon !

Salomé grimaça une moue désabusée. Elle n'y croyait pas. Elle ne croyait plus en rien. Même si Coline ne s'était encore jamais trompée. Non. Elle ne croyait plus en rien.

Coline perçut ses doutes.

— Allons, ma fille! Enlève cette grimace de ta jolie figure. Moi je te dis ce que je vois dans ta main. Tu vas avoir la consécration. Bientôt. Tu continues à travailler, au moins?

— Pour ça, oui.

— Alors tu vois bien! Et non seulement je vois que ton travail va être récompensé — très bien récompensé, crois-moi — mais tu vas enfin trouver l'amour.

— Arrête, Coline! J'en veux plus, de l'amour.

La vieille gitane lui lança un regard en coin avant de rire doucement.

— Que tu dis! Mais moi je sais que tu es faite pour l'amour. Pour le vrai. Celui que je t'avais prédit, déjà. Tu l'as trouvé depuis longtemps, mais là, tu vas bientôt le voir.

— Comment ça?

Coline poussa un petit soupir.

— Je te l'ai déjà dit. Il est à côté de toi mais tu ne le voyais pas. Bientôt ma fille, bientôt. Ne pleure plus. Tu seras heureuse. Très heureuse…

— Coline! appela un jeune enfant gitan en arrivant au pas de course. Ta fille te réclame! Je crois qu'elle va accoucher.

Coline lui fit signe qu'elle y allait avant de reporter un instant son attention sur Salomé.

— Je dois y aller, ma fille. Mais souviens-toi. Il est là et tu vas bientôt le voir.

Sur ce, elle partit aussi vite qu'elle put en direction de son campement.

Salomé la regarda s'en aller, indécise. Et encore plus confuse qu'auparavant. Qu'est-ce que c'était que cet amour si proche dont Coline la bassinait depuis des années?

Elle avait eu beau chercher, elle n'avait pu trouver de qui parlait sa vieille amie gitane. Elle n'avait aucun ami proche. A part Raphaël. Mais Raphaël était son frère ! Son grand frère...

— Je peux ? demanda Maria en entrouvrant la porte de la cabane de Raphaël, peu avant l'heure du dîner.

— Bien sûr, entre. Que me vaut l'honneur d'avoir lâché tes fourneaux en un instant aussi crucial que le repas du fauve ?

— Le fauve emmène sa soubrette au restaurant, ce soir.

— Mazette !

— Eh, que veux-tu... un anniversaire de mariage vaut bien un petit balthazar, je trouve ! Depuis le temps que je le supporte...

— Arrête, tu vas me faire sangloter !

— Tiens, un mouchoir. Et puis ce n'est pas pour cela que je suis venue envahir ta thébaïde.

— Alors qu'est-ce donc quoi t'est-ce, ma bonne dame ?

— Salomé.

— Ah.

— Tu l'as vue, récemment ?

— Pas depuis quelques jours. On dirait qu'elle m'évite.

— Je l'ai aperçue, cette après-midi. Sur son Job.

— Que t'a-t-elle dit ?

— Rien.

Raphaël la dévisagea, ahuri.

— Rien du tout. Elle s'est détournée en me voyant. Comme si elle avait du lait sur le feu. Ou le diable aux trousses, vu la manière dont elle a lancé Job au galop.

— Sans te faire même un signe ?

— Si. Mais un tout petit. Très rapide.

Raphaël se mordilla un ongle.

— Pas normal, ça.

— Du tout. Mais j'ai quand même eu le temps de voir quelque chose. Qu'elle ne voulait visiblement pas que je voie.

— Quoi donc ?

— Elle avait les joues bien brillantes. Comme si elle avait reçu une douche…

— Mouais. Elle pleurait.

Maria se pencha et attrapa les mains de Raphaël.

— J'ai peur, Raphaël. Elle ne va pas bien du tout. Va la voir.

Il poussa un énorme soupir et secoua la tête.

— J'ai essayé, tu penses bien. Mais je ne peux rien en tirer. Elle se tait, point.

Il se leva brusquement et se mit en devoir d'arpenter la pièce.

— Elle va mal. Je le sais, et je ne sais pas quoi faire, nom de Dieu ! Chaque fois que j'y vais, elle reste immobile dans un coin, et tout ce qu'elle est foutue de me dire, c'est qu'elle va très bien et qu'il faut qu'elle bosse ! Tu parles comme elle bosse ! Je suis allé faire un tour dans son atelier. Elle n'a rien fait depuis la petite statuette d'orant. Rien ! Ah ça, elle en a gâché, de la terre, pas de problème ! Des mottes aplaties et toutes sèches, il y en a partout ! Elle ne prend même plus la peine de les remettre à l'humidité pour s'en resservir…

— Alors ça va vraiment mal…

— Oui.

Raphaël s'accroupit soudain devant Maria. Il lui prit les mains en un geste très doux.

— Ecoute-moi. Je m'en occupe. Va, sors avec ton fauve de mari. Fais la fête. Amuse-toi. Je t'en conjure. Le plus gros de la dépression de Salomé est passé, maintenant. Ce doit être une petite rechute. J'irai la voir dès demain matin. Et s'il faut lui secouer les puces, compte sur moi, nom de d'là !

Maria ébaucha un petit sourire avant de lui caresser la joue.

— Merci, mon Raphaël. Dépêche-toi de lui secouer les puces, qu'on puisse secouer les tiennes…

Il lâcha un rire tristounet.

— Je vois. Mais barré comme c'est barré…

— Bêta !

Trois coups discrets furent frappés à la porte. Raphaël se redressa avant de claironner :

— Ciel, ton mari !

— Nous sommes perdus ! couina Maria.

— Je dirais même mieux, vous êtes faits ! hurla Paul en s'engouffrant dans la cabane.

Ce fut en riant et en chahutant qu'ils se séparèrent.

« Qui m'appelle à cette heure-ci ? » se demanda Salomé tout en décrochant le combiné. Il était dix heures du soir.

— Allô ?

— Salo ? C'est Mathilde. J'ai besoin de toi.

— Quand tu veux. Que se passe-t-il ?

— Rien de bien grave ! Mais si tu pouvais venir passer un jour ou deux, ça m'arrangerait bien…

— Tu n'arrives pas à marcher ?

— Difficilement. Je n'ai plus rien à manger, sans compter quelques trucs urgents à faire… mais toute seule, je n'y parviendrai jamais.

— Tu as dîné, au moins ?

— Euh… non, pas encore.

— Je vois. Okay. Je vide le frigo et j'arrive.

— Merci !

— A tout à l'heure. Au fait, ne t'affole pas si je n'arrive pas tout de suite. Faut que je ferme tout et que je passe prendre de la gazoline.

— Pas de blème. A plus tard.

— Ciao.

Salomé reposa le combiné et attrapa une feuille de bloc.

Raphaël, si tu me cherches, ne me cherche plus! Je pars chez Mathilde un jour ou deux. Peut-être trois. Je t'appellerai. Bises.

Elle laissa le mot bien en évidence sur la table basse puis prépara ses affaires. Dans le frigidaire, elle prit le lait, trois yaourts, deux pommes et la moitié d'une épaule d'agneau qu'elle comptait faire griller au four le lendemain. Quoi d'autre? Ah oui, une boîte de haricots verts pour aller avec. Et hop, le tout partit dans une des sacoches de la moto.

Dans l'autre, elle fourra deux jeans, trois tee-shirts, un pull, ses sous-vêtements et sa trousse de toilette. Plus un bouquin. Des fois que Math se couche tôt...

Puis elle sortit la moto, y arrima les sacoches et, après une dernière caresse à Job, prit la route.

16

— Dis-moi, Math, commença Salomé.

Les deux amies sirotaient leur café, après le dîner, le surlendemain soir.

— Oui ?

— Tu n'avais pas réellement besoin de moi, en réalité ?

— Que veux-tu dire ?

— Tu le sais très bien ! Mais je veux bien faire le détail, si tu insistes. Les courses ? Ta voisine est déjà venue deux fois te proposer de lui donner une liste pour le supermarché. Ta carte d'identité ? Il n'y avait vraiment pas urgence en la demeure. Et l'assureur t'a dit lui-même qu'il comptait venir te voir chez toi, vu que tu ne peux pas te déplacer…

— C'est vrai…

— Alors, pourquoi ?

— Vaï ! Tu connais mes vieux pressentiments, non ?

— Si je m'en souviens ? On s'est assez moqués de toi, au lycée…

— Eh ben voilà. C'était à cause de ça.

— Ah bon ? Et que te disaient-ils, cette fois-ci, tes pressentiments ?

— Que tu n'allais pas bien. Qu'il fallait te sortir de chez toi.

— …

— Tu m'en veux ?

— Non, pas du tout ! Mais…

— J'avais tort ?

Les yeux perdus dans le vague, ou plutôt sur le mur de la cuisine, Salomé ne répondit pas immédiatement. Mathilde se resservit un café.

Puis Salomé inspira profondément.

— Non, tu n'avais pas tort, lâcha-t-elle comme à regret.

— Tu veux m'en parler ?

— Je ne sais pas…

— Mais d'abord, dis-moi une chose. Ces deux jours qu'on vient de passer ensemble… ça t'a fait du bien ?

— Oh oui ! Il y avait longtemps que je n'avais pas ri comme ça…

— Tu vois bien, que j'ai eu raison de te faire venir !

Salomé se mit à rire. Puis elle prit la main de son amie par-dessus la table.

— Heureusement que je t'ai !

— Dis-moi ce qui ne va pas.

Salomé se passa une main sur le visage.

— Si seulement je le savais…

Puis elle frappa du poing sur la table.

— Je croyais pourtant bien en avoir fini, avec cette saloperie de dépression !

— Mais tu en as fini ! Si tu refaisais une dépression, tu n'aurais pas été capable de rire comme tu viens de le faire pendant deux jours, allons ! C'est juste un coup de déprime.

— Comment peux-tu être aussi affirmative ?

— Souviens-toi, encore une fois. Quand tu as

plongé, tu étais encore à Paris. Et ça ne m'a pas empêchée de faire des rêves épouvantables à ton sujet. Tu étais dans un état grave, à l'époque.

— C'est le moins qu'on puisse dire...

— Je n'ai rien vu de tout cela, cette fois-ci. J'ai juste su que ça n'allait pas fort, point à la ligne.

Salomé laissa échapper un petit rire désabusé.

— On devrait t'appeler Miroska...

Mathilde lui renvoya un sourire en coin.

— Moralité, j'avais raison. Qu'est-ce qui ne va pas, cocotte ?

— Oh rien. Tout. A vrai dire, je ne sais pas trop...

— Mais encore ?

— Je ne sais pas, je te dis ! C'est... diffus.

— Alors que ressens-tu ? Ou que ne ressens-tu pas, justement ?

Salomé se leva brusquement.

— Je refais du caoua.

— Ne t'échappe pas !

— Non non ! J'en ai envie. Et puis ça me donnera le temps de trouver les mots... adéquats.

Elle refit du café en silence. Puis revint s'asseoir en face de son amie.

— Je n'ai plus le tonus. Rends-toi compte, je dois absolument réaliser trois autres pièces pour l'expo de juillet, et je n'arrive à rien de rien ! Comme si... comme si je n'avais plus d'inspiration.

— Ça, à mon avis, c'est uniquement dû à ton vague à l'âme. Mais à part ce manque d'idées ?

— Je... je tourne en rond, voilà ! Dans mon atelier comme dans ma tête.

— Explique...

— Tu en as de bonnes, toi ! Pas facile, à expliquer... Je... Bon, mettons que je me pose mille et une questions. Et que je ne trouve aucune réponse.

— Du genre ?

— Du genre… Je te les livre comme elles me viennent. En boucle. Parce qu'une question en appelle une autre, à chaque fois.

— Par exemple ?

— Par exemple ?… D'un côté, je me demande si j'ai bien fait de revenir, et de l'autre je me dis que je n'ai jamais vécu aussi bien qu'ici. Oui mais alors — deuxième question — pourquoi est-ce que je n'arrive plus à travailler, à créer ? D'où — troisième question —, mon art est-il à l'image de ma vie, c'est-à-dire dans une impasse ? Et si impasse, est-ce une impasse définitive ? Donc — et cinquième question — j'en arrive tout naturellement à me demander si je ne devrais pas faire éboueur ou déménageur…

— Et si éboueur, tu te tritures encore les méninges pour savoir si tu préférerais le balai ou la motocrotte, je suppose…

Salomé laissa échapper un petit rire.

— A peu près, oui !

— Je vois… Maintenant, côté humain, tu vois beaucoup de monde, depuis que tu es rentrée ?

— Euh… à part Raphaël de temps en temps… non. Enfin, si tu exceptes le buraliste ou la caissière du supermarché.

— J'excepte.

— Alors non.

— Tu ne crois pas que ton coup de déprime pourrait venir de là ?

— Comment ça ? Je suis bien, toute seule.

— La preuve que non, eh banane ! Il y a vivre seul et vivre seul, tu le sais parfaitement. Et en ce moment, j'ai un peu l'impression que tu t'es enfermée, repliée sur toi-même… et que c'est ça qui ne va pas.

— Mais j'ai vécu deux ans seule, avant Yvan, et je…

— … vivais bien, je sais. Et tu crois réellement vivre ainsi que tu le faisais à cette époque?

— Ben… oui.

— Non. Tu sors?

— Non.

— Tu ne vois personne, tu viens de le dire.

— Non.

— Tu ne viens plus au cinéma?

— Euh… non.

— Tu vois bien! Avant, tu vivais effectivement seule, mais tu menais une vie sociale bien remplie. Chose indispensable lorsqu'on est célibataire, si on ne veut pas finir par tourner en rond et se lamenter sur soi-même.

— Tu crois?

— Je ne crois pas, je suis certaine.

— Mais…

— Mais rien du tout. Pour commencer… Au fait, on est quel jour?

— Jeudi, pourquoi?

— Chut, je pense… Bon. On rentre aux Saintes demain matin.

— Ensemble?

— Voui.

— En moto? Elle est fada, celle-là! s'exclama Salomé tout en secouant la tête.

— Eh non, pas en moto…

Sans un mot de plus, Mathilde s'empara du téléphone, posé sur le bout de la table.

— Allô, Raphaël?… oui, ça va mieux, beaucoup mieux… Elle est toujours là, oui… Justement, je voulais te demander, que fais-tu demain matin?… Alors tu pourrais venir me chercher? Parce que sur son engin de mort avec mon plâtre… Oui, je

vais passer quelques jours chez elle... Ah super !...
Tu devais aller faire des courses ? Ça tombe bien,
nous aussi... Oui, on va organiser une méga-fête
chez Salo samedi soir...

— Eh, oh, qu'est-ce que c'est que cette salade ?
tenta de s'interposer Salomé.

— Silence !... Hein ? Oui, oui, elle récrimine...
Laissons-la faire, ça l'occupe !... Tu préviens les
copains ? Génial !... Bon, dis-moi, tu viens à quelle
heure, demain ?... Okay, on sera prêtes. Bonne
nuit !

Mathilde raccrocha le combiné, visiblement
ravie d'elle-même.

— Et voilà une affaire qui roule !

— Qui roule, qui roule, tu en as de bonnes, toi !
T'aurais quand même pu me demander mon avis !

— Pour que tu me répondes que tu ne veux voir
personne ? Merci bien ! Allez, va donc nous chercher cette bouteille de vieille prune que je garde
au chaud pour les grandes occasions. On va arroser le début de ton traitement...

Partagée entre la colère et l'amusement, Salomé
hésita quelque peu. Elle jeta un coup d'œil en coin
à Mathilde, aperçut son sourire moqueur et éclata
de rire.

— Toi, alors...

— Eh ! Alors, elle vient, cette prune ?

17

— Laisse tout ça, cocotte! On fera la vaisselle demain, lança Mathilde en se vautrant sur le canapé.

— T'inquiète. Je rassemble un peu... répondit Salomé en récupérant trois verres abandonnés sur l'escalier de la mezzanine et deux sur l'appui de la fenêtre. De toute façon, je n'aurais pas le courage de tout laver ce soir. Quelle heure est-il, au fait?

— Deux heures et demie. Viens donc t'asseoir un moment.

— Tiens, il reste un fond de planteur! s'écria Salomé depuis la cuisine. On se le partage tranquillement, avant dodo?

— Volontiers. Ouf! Eh ben ça fait pas de mal, un peu de calme...

— A qui le dis-tu! répondit Salomé en riant.

Elle déposa les deux verres aux trois quarts pleins sur la table avant de s'affaler à son tour à côté de son amie.

— Pas trop mal à ta patte?

— Non, ça va.

Mathilde jeta un œil dubitatif sur son plâtre.

— Quand je pense qu'il était bien blanc, en début de soirée...

— Ben quoi? Ils te l'ont bien décoré, non?

— Mouais…

— L'est beau, le cheval qu'a dessiné Antoine.

— Magnifique. Si seulement il n'avait pas les yeux roses…

— Bah, il s'est trompé de feutre!

— Et je le ferai encadrer. Dis donc, je ne m'étais pas trompée.

— A quel propos?

— Tu n'avais prévenu personne de ton retour!

— Ben non, c'est vrai… Qu'est-ce que j'ai pu me faire engueuler, ce soir…

— Et ça t'a fait du bien. On a pas idée, quand même…

— A propos, merci.

— De quoi?

— De ça, justement. J'avais besoin de bouger. Et de me faire secouer les puces.

— Donc, j'en déduis que ça va mieux?

— Oh que oui!

— Vraiment vraiment?

— Vraiment. Tu ne peux pas savoir ce que ça m'a fait, de revoir tous les amis…

— J'imagine…

— Non, tu ne peux pas! J'en arrive à me demander…

Elle se mordilla pensivement un ongle.

— Pourquoi je ne les ai pas prévenus.

— Tu étais encore trop mal, je pense. Encore trop impliquée dans cette galère de mariage raté.

— Oui. Ah je l'aurai payée cher, cette connerie.

— Vaï, l'important c'est qu'elle soit derrière toi. N'y pense plus.

— Pas facile…

— Je sais… Mais faut que tu parviennes à la reléguer dans un petit coin de ton esprit…

— C'est ce que je fais. Mais les séquelles sont là. Quoi que j'y fasse…

— Qué séquelles? Le moral? Ça c'est pas grave, pitchounette, il remonte.

— Oh je ne parlais pas de ça…

— Mais alors?

— Rien, rien…

— Qu'est-ce qui ne va pas, encore? Tu es certaine que ça va?

Salomé lui sourit.

— Oui, ça va. Je te promets, croix de bois croix de fer!

— Alors?

— Rien, je te dis. Une petite chose à faire pour me sentir vraiment tout à fait bien.

— Laquelle?

— Rien, rien. C'est sans importance…

— Hum hum. Pas sûre. C'est une des séquelles dont tu parlais?

— En quelque sorte, oui…

— Mais… c'est grave?

Salomé se mit à rire.

— Non, non. Ne t'affole pas comme ça! Un truc pour me libérer l'esprit…

— Je peux savoir?

L'air gêné, Salomé ne répondit pas tout de suite.

— Euh… non. Et puis tu ne comprendrais pas. Enfin, je ne pense pas… mais t'affole pas! Je sais ce que je fais. Et je prends mes précautions… Bon, on va se coucher? Je suis rétamée, moi.

Elle finit les quelques gouttes restant dans son verre et se leva.

Fin de la discussion. Et début du brossage de dents. Mathilde se redressa en soupirant. Elle ne tirerait plus rien de cette bourrique. Mais quand même... de quoi voulait-elle bien parler? Ou plutôt ne pas parler...

— Prête, l'éclopée? Ton chauffeur est avancé.
— Prête. Tu es certaine que ça va, maintenant? Je peux rentrer sans me ronger les sangs?
— Promis juré, ma cocotte! Et encore merci... Tu m'as fait un bien fou.
— Vaï, raconte pas de calembredaines, veux-tu?

— Merci à toi, Math, dit Raphaël alors qu'ils quittaient le village. Tu as réussi là où j'échouais lamentablement.
La jeune femme se mit à rire doucement.
— Pas étonnant, pardi!
Raphaël lui jeta un regard en coin.
— Comment ça?
— Eh eh...
— Allez, explique-toi, au lieu de me faire languir! Qu'est-ce que j'ai bien pu faire, ou ne pas faire, justement?
— Rien...
— Euh... tu tiens vraiment à rentrer à pied?
Le rire de Mathilde redoubla.
— Tu en serais bien capable, vaï...
— Absolument.
Elle reprit son sérieux.
— C'est tout bêtement une question de... comment dire? De position par rapport à elle...
— ...? Explique.
— Ben oui. Ma position est claire, vis-à-vis de Salomé. Pas la tienne.
— Je ne te suis pas, là...

— Raphaël ! Ne te fais pas plus bête que tu n'es, veux-tu ? lâcha Mathilde en soupirant. Bon, on y va, puisque tu veux les points sur les *i*. Moi, je suis son amie…

— Et alors ? Moi aussi !

— Tais-toi et laisse-moi finir.

— Pardon.

— Donc, je suis son amie. Depuis longtemps. Une amitié claire. Définie. Et amitié, pour elle comme pour moi, signifie également le droit de mettre des coups de pied au cul quand c'est nécessaire. Ce que je viens de faire, avec succès visiblement.

— Et je t'en remercie encore une fois.

— Tandis que toi, ta position n'est pas nette. Ami… grand frère… mec… ?

— Aïe…

— Eh oui. Mais laisse-moi te dire une chose. Une chose que tu as besoin d'entendre énoncée clairement, selon ce que je vois. Et que j'ai vu ces jours-ci. Il est grand temps que tu choisisses ton camp, mon vieux. Et vite.

— J'ai tellement peur de tout casser, en la brusquant… répondit Raphaël en allumant une cigarette.

— Et moi je te dis, fonce ! Trouve un moyen, un biais, n'importe quoi. Mais fais-lui comprendre que tu ne veux ni être son frère, ni être son ami mais son mec pour la vie !

Le jeune homme la dévisagea un instant, perplexe.

— Comment le sais-tu, Math ?

— Eh, ça se voit comme le nez au milieu de la figure, bêta ! Tu t'es pas vu quand tu la regardes !

Raphaël laissa échapper un petit rire.

— Difficile…

— En effet, je te le concède !

— Mais alors…

Il se tut, le front plissé.

— Alors ?

— Elle aussi a dû le voir… Donc… si elle me considère toujours comme son grand frère… ça veut dire qu'elle ne m'aime pas… Enfin pas comme je le voudrais…

— Pas d'acc. Je suis persuadée qu'elle est la seule à n'avoir rien vu du tout. Tu la connais, non ?

— Oui. Enfin, je crois.

— Donc tu sais qu'elle est totalement inconsciente de son charme. De plus, elle a pris l'habitude de voir en toi l'ami…

— Mais justement… Pourra-t-elle — *pourrait-elle*, devrais-je dire — voir en moi l'amant et non l'ami ?…

— Ma main au feu qu'elle t'aime.

— Tu parais bien sûre de toi, lui jeta Raphaël avec un regard en biais.

— Et je le suis. Elle t'aime, mais elle ne le sait pas. Elle aussi a grand besoin de points sur les *i*… A toi de les lui mettre. Moi, j'ai fait tout ce que je pouvais faire. Mais je te le répète, dépêche-toi. Sinon, j'aurai eu le temps de tuer un âne à coups de figues avant votre mariage ! Ou qu'un autre te la pique encore une fois…

— J'ai déjà entendu ça quelque part…

— Tu vois bien !

18

Raphaël reprit la route du retour, pensif. Les mots de Mathilde tournoyaient sans fin dans sa tête. Devait-il vraiment brusquer les choses ? Se déclarer ? Ou valait-il mieux y aller doucement ? Oui, mais s'il ne fonçait pas, elle aurait le temps d'en tuer dix, des ânes, vu comme c'était parti !

Et puis aussi, qu'est-ce que c'était que cette histoire qu'elle lui avait racontée ? Cette phrase sibylline qu'aurait prononcée Salomé ? Comment était-ce, déjà ? Ah oui. *Une petite chose à faire pour se sentir vraiment tout à fait bien… Une séquelle, en quelque sorte, de son mariage… Un truc pour se libérer l'esprit… Que Math ne comprendrait pas… Précautions…*

Qu'avait-elle voulu dire, nom de nom ? Un truc que Mathilde ne comprendrait pas… Pourquoi ? Selon son amie, Salomé avait paru un peu gênée en disant cela… elle qui ne l'était jamais ! Qu'est-ce que c'était, bon sang de bois ?

Et cette dernière phrase de Mathilde, en refermant sa porte ? Il en était resté coi.

« *Crois-moi, vieux. Mon petit doigt me dit*

que... en un mot: saute-la le plus vite pos-
sible! Ciao. »

Sur ce, elle avait refermé la porte derrière elle.
Et lui en était resté comme deux ronds de flan.

Toujours profondément absorbé dans ses inter-
rogations moroses, Raphaël gara machinalement
la voiture dans la cour de la manade. Ce ne fut
qu'en sortant du véhicule qu'il aperçut une autre
voiture garée un peu plus loin. Une voiture inconnue. Il jeta un coup d'œil vers les bâtiments prin-
cipaux. Paul devait recevoir du monde...

Peu disposé à faire la conversation, il se dirigea
vers sa cabane. Un homme était assis sur le banc,
devant la fenêtre. Qui se leva à son approche.
Raphaël s'immobilisa en le reconnaissant.

— Décidément, c'est pas mon jour pour la tran-
quillité d'esprit ! marmonna-t-il entre ses dents.

Il passa devant l'inconnu, déverrouilla la porte
et se tourna de nouveau vers lui.

— Entrez, puisque vous êtes là.

— Je...

— Entrez.

Pablo poussa un imperceptible soupir et le suivit à l'intérieur.

— Asseyez-vous. Je fais du café, dit Raphaël
sans plus le regarder.

Il revint quelques instants plus tard, un plateau
à la main. Au passage, il attrapa une feuille de
papier pliée sur la table. Et l'agita devant son hôte.

— Si je l'ai lue, c'est grâce à la jeune femme
que vous avez vue. C'est elle qui l'a ouverte et qui
m'a convaincu d'y jeter un coup d'œil.

Un semblant de sourire étira les commissures
des lèvres de Pablo.

— J'aurais eu la même réaction que vous…

— Eh ben, comme ça, au moins, on se comprend !

— C'est un début, en tout cas, rétorqua Pablo.

Raphaël, qui servait le café, suspendit brusquement son geste.

— Mais n'allez pas croire ce qui n'est pas, s'il vous plaît ! J'ai lu, c'est tout. Et c'est déjà pas mal, je trouve. Mais il m'en faudra un peu plus pour admettre votre présence. Votre existence, devrais-je dire.

Il avait pris un visage grave. Presque dur.

— Mais d'abord finissons-en avec les civilités. Du sucre ?

— Oui, merci.

— Comment va votre père ?

— Il est sorti de l'hôpital. C'était une attaque sans gravité. Mais je vous remercie de vous préoccuper de sa santé…

— On m'a bien éduqué.

Et pan, prends ça dans les dents, mon grand ! pensa immédiatement Pablo.

— J'en suis heureux.

— Vraiment ? railla Raphaël.

Ils se turent. Tout en touillant son café, Raphaël détailla ouvertement l'homme assis en face de lui. Puis il but une gorgée et alluma posément une cigarette, les yeux toujours braqués sur cet homme qui était son père. Son père naturel.

— C'est drôle… commença-t-il, avant de se taire de nouveau.

Pablo l'avait également observé.

— Oui.

Raphaël secoua la tête.

— Quand j'étais enfant, j'essayais de vous imaginer…

— Camila ne t'avait pas montré les photos ?

— Elle les avait toutes détruites, rétorqua sèchement le jeune homme.

Re-pan dans le museau, bonhomme ! Ça va être ta fête, avec ce gamin. Tu l'as pas raté, visiblement !

— Ah...

— Donc, je tentais de deviner vos traits. Mais jamais je n'aurais pensé que...

— Que nous nous ressemblions autant ?

— Non !

Pablo reposa sa cuillère.

— Moi non plus. Lorsque je pensais à l'enfant que j'avais... laissé derrière moi, fille ou garçon, je lui voyais les traits de Camila...

Raphaël lui jeta un regard en coin.

— Déçu ?

— Non, répliqua Pablo en souriant. Mais ça m'a fait un choc, en te voyant...

— Vous croyez que ça ne m'en a pas fait un, à moi ? Et à Salomé ?

— Salomé ?

— La jeune femme qui était avec moi. Elle a cru avoir des visions, la première fois qu'elle vous a aperçu.

— C'est pour ça qu'elle s'est sauvée... Je ne l'ai compris qu'en vous voyant tous les deux.

— Vous avez dû la prendre pour une folle.

— Non. Mais je ne savais pas pourquoi je lui avais fait peur. Elle est belle... C'est ta femme ?

— Non.

— Ta fiancée, alors ?

— Non plus. Du moins pas encore. Mais là n'est pas le sujet. Je veux entendre vos explications. Un peu plus détaillées que dans la lettre, je vous prie.

— Bien sûr.

140

Pablo raconta. Il raconta son amour avec Camille. Il raconta sa fuite. Il raconta sa peur. Ses remords. Puis il lui dit quelle avait été sa vie, depuis. Sa femme, ses enfants, son métier. Son père. Séville.

Raphaël l'écouta, refaisant parfois du café. Il n'y comprenait plus rien. Lui qui avait détesté cordialement ce père absent, lui qui l'avait maintes fois traité de tous les noms d'oiseau possibles et imaginables, voilà qu'il l'écoutait. Et non seulement il l'écoutait, mais son récit l'intéressait. Un peu comme s'il avait toujours connu cet homme. Etrange…

Lorsque Pablo se tut, longtemps après, il resta un instant silencieux. Puis soudain, lui aussi éprouva le besoin de se confier à cet inconnu. Ils parlaient la même langue…

Alors, à son tour, il narra son enfance. Sa mère, le petit appartement dans la vieille ville. Puis la mort. L'arrivée ici. Paul, Maria, Philippe. Et Salomé. Ses études, ses espoirs d'enfant. Mais il tut ses espoirs d'homme. Ceux-là étaient trop secrets…

Ils ne virent pas passer la journée.

Puis Pablo se leva. Le crépuscule s'annonçait.

— Je vais m'en aller, *hijo mío*[1]. Voudras-tu me revoir ?

Raphaël hésita quelque peu.

— Oui. Mais pas tout de suite. Il faut le temps…

— Je comprends. *Vale*[2], je reste deux semaines. Si tu veux, je te donne le numéro de téléphone de l'hôtel, et tu m'appelles quand tu veux… Si tu veux…

1. Mon fils.
2. C'est bon.

— Oui, très bien.
Raphaël lui sourit.
— Je t'appellerai.
— *Adios*.
— *Adios*.

19

Après son départ, Raphaël s'allongea sur son lit. Pensif. Au bout de dix minutes il sauta sur ses pieds.

— Je vais devenir complètement fada, si je reste là à ruminer tout ça! maugréa-t-il à voix haute.

Il lava la cafetière et les tasses, se changea, fourra son paquet de cigarettes dans sa poche et sortit.

Il ne trouva pas trace de Maria dans la maison et s'apprêtait à se diriger vers le bureau lorsqu'elle le héla, du haut de l'escalier.

— Je suis là!

— Ah, Maria. Je te cherchais.

— Que puis-je pour toi, mon grand? Tu m'excuseras, je suis en train de me changer.

— Vous sortez dîner?

— Non, mais je viens de faire le grand ménage. Et je ne vais tout de même pas dîner avec mon torchon sur la calebasse!

— Dis, je peux dîner avec vous?

— Bien évidemment! Tiens, ça tombe bien, j'ai fait un bœuf gardiane. Quelque chose qui ne va pas?

— Rien... enfin si. Mais je voudrais vous en parler tranquillement.

— Alors file au bureau, et dis à ton père de nous remonter une bonne bouteille en rentrant, veux-tu ?

— J'y vais. Tu es certaine que ça ne te dérange pas ?

— File, imbécile, avant que je me mette en rogne et que je te casse la marmite sur la tête !

— Non, pitié ! hurla Raphaël en s'enfuyant.

En pénétrant dans le bureau, il ne trouva que Magali.

— Bonsoir, Magali. Mon père n'est pas là ?

— Bonsoir, Raphaël. Non, mais il ne va pas tarder. Il est allé montrer un cheval à M. Batista.

— Ah, c'est vrai qu'il devait venir aujourd'hui. Bon, eh bien...

— Attendez un instant ! lança la jeune femme en lui souriant.

— Oui ?

Elle lissa machinalement ses cheveux.

— Justement, je voulais aller vous voir...

— Un problème ?

— Non, enfin pas vraiment. Je fais une fête pour mon anniversaire, demain soir, et... enfin, ça me ferait vraiment plaisir que vous veniez...

Raphaël la regarda, interloqué.

— Moi ?

— Oui, vous.

Elle lui coula un regard... rêveur. Rêveur ? Allons, c'était lui qui rêvait ! Ou plutôt qui yoyottait de la touffe, oui. Il se secoua.

— Eh bien, je...

— Oh, dites oui ! Ça me ferait tellement plaisir...

Raphaël réfléchit un instant. Ce soir, il ne pouvait penser à autre chose que son père ou Salomé. Pas d'affolement.

— Je vous dis ça demain matin, Magali.

Elle eut l'air déçu.

— Mais...

— Excusez-moi, mais ce soir j'ai vraiment la tête ailleurs. Demain matin, promis.

— Bon... mais si pouviez faire un effort...

— Je vous promets de faire mon possible. Ah, Paul, tu arrives bien! C'est toi que je cherchais. Nous faut du vin pour ce soir. Je dîne avec vous.

— Alors je vais aller en chercher du bon. A propos, Magali, vous pouvez y aller. A demain, jeune fille.

— A demain monsieur. A demain Raphaël... vous ne m'oubliez pas?

— Je ne vous oublie pas. A demain.

Les deux hommes repartirent en devisant de tout et de rien.

— Qu'est-ce qu'elle voulait dire, la pitchoune?

— Euh... hein? Excuse-moi, je pensais à autre chose.

— Magali. «Vous ne m'oubliez pas»...

— Ah oui... elle veut que j'aille à sa fête d'anniversaire demain... Bizarre. Je la connais à peine.

— Eh bé... en tout cas, perd pas de temps, la petiote!

Raphaël le regarda, ahuri.

— Comment ça?

— Ne me dis pas que tu n'as rien vu!

— Vu quoi?

— Eh, qu'elle te ferait bien ta fête, pardi!

— Hein? A moi?

Raphaël éclata de rire.

— C'est toi qui rêves, l'ancien ! Allez, file plutôt nous chercher de quoi boire…

Maria versa un whisky-Coca à Raphaël, un pastis à son mari et un gin-tonic pour elle. Elle déposa les verres sur la table basse, s'assit et se tourna vers le jeune homme.

— Alors, bel enfant, qu'est-ce qui ne va pas ?

Raphaël but une gorgée de whisky, les yeux dans le vide.

— Tout va bien, Maria. C'est plutôt… enfin bon, des questions que je me pose…

— Quel genre de questions ? demanda Paul.

— Pfuui, un ensemble… Bon, faut que j'essaye de mettre de l'ordre dans tout ça. Mes questions concernent deux choses. Non. Deux personnes. Salomé et… mon père.

— Ton père ? Paul ? s'enquit Maria.

— Non. L'autre…

Paul et Maria échangèrent un regard qui en disait long.

— Alors il a fini par venir… énonça tranquillement sa mère adoptive.

Raphaël la dévisagea, interloqué.

— Tu le savais ?

— Je l'ai vu rôder par ici, il y a quelque temps.

— Et… tu savais que c'était lui ?

— Bien sûr.

— A l'époque, on l'a bien connu, ta mère et moi, intervint placidement Paul.

— Il n'a pas beaucoup changé, reprit Maria. J'aurais pu oublier à quoi il ressemblait, depuis le temps, si…

Raphaël lui lança un regard en biais.

— Si je n'étais pas son portrait craché.

— Exactement.

Il fit tourner son verre entre ses mains.

— C'est même franchement ahurissant, une telle ressemblance...

— C'était à lui, cette voiture, cette après-midi ? demanda Paul.

— Oui.

— Il est resté longtemps ?

— Oui. La moitié de la journée.

— Et...

— Et... je ne sais pas... Je ne sais plus ! Cet homme, je l'ai détesté pendant trente ans ou presque. Détesté. Haï. Et là... je n'y arrive plus, merde ! Je... comment vous expliquer ? s'exclama-t-il en vidant d'un trait le fond de son verre.

Paul se leva, empoigna les verres vides et entreprit de les resservir. Pendant ce temps-là, Maria vint s'asseoir à côté de son fils adoptif et le serra dans ses bras.

— Parle, va, mon grand. Et tant pis si tu as l'impression d'être incohérent. Mais parle. Ça te fera du bien...

Raphaël lui entoura les épaules de son bras, attrapa le verre que lui tendait Paul et en but une gorgée. Il la fit rouler dans sa bouche, le front plissé.

Puis il parla. Il leur raconta sa discussion avec Salomé, sur la grand-place d'Aigues-Mortes, la rencontre sur la place de l'Eglise, la lettre, et enfin la journée qui venait de s'écouler. Il leur dit sa haine d'enfant, sa colère d'adulte. Sa première réaction à la lecture de la lettre. Une réaction de mépris. Puis les doutes qui avaient surgi ensuite. Des doutes qui l'avaient inlassablement poursuivi.

Et ce qu'il avait ressenti en discutant avec son

père. Cette inexplicable sensation d'entente, de compréhension mutuelle. Comme si, au fur et à mesure, s'instaurait une sorte de… complicité ? Mais c'était impossible ! Comment pouvait-il ressentir une quelconque complicité avec ce père qui l'avait abandonné ? Et pourtant… de quelque manière qu'il retournât le problème… complicité restait le seul mot capable de définir ce qu'il avait éprouvé.

— Et ça… te fait peur ? Te dérange ? demanda Maria à la fin de son récit.

Raphaël se prit la tête entre les mains.

— Je ne sais pas. Je ne sais plus. Comment veux-tu… enfin merde ! Moi qui étais persuadé ressentir une haine sans bornes si je me retrouvais un jour en face de lui, voilà qu'en une après-midi toutes mes certitudes volent en éclats !

— Et ce n'est pas confortable, murmura Paul.

— Oh non. Pas confortable du tout !

— Mais dis-moi, intervint Maria. En toute franchise. Aurais-tu préféré te retrouver en face d'un homme méprisable ? En sachant que cet homme est ton vrai père ?

— Non, bien sûr, mais…

— Mais ?

— Mais rien. Tu sais, j'ai eu un peu l'impression d'avoir en face de moi un double de moi-même… et je ne parle pas du physique.

— Comment ça ?

— Cet homme, il… il s'est mis à nu, en quelque sorte. Il m'a confessé cette peur qu'il avait ressentie, en apprenant que ma mère était enceinte, mais aussi cette peur en général qu'il avait à l'époque… Une peur d'affronter la vie, en somme. De l'empoigner…

— Et… ?

148

— Et je me demande si je ne fais pas la même chose…

Maria esquissa un sourire très doux.

— On en vient à ton deuxième souci. Je me trompe ?

Raphaël lui jeta un regard en biais tout en ébauchant un sourire, lui aussi.

— Tu ne te trompes jamais, en ce qui me concerne…

— Donc… Salomé.

— Salomé, oui. J'ai peur…

— Mais de quoi, bon Dieu de bois ? explosa Paul.

— Chhhutt, le calma Maria.

— J'ai peur de… commença le jeune homme en cherchant ses mots. De me déclarer ! Et si elle ne m'aimait pas comme je l'aime ? Et si, en me déclarant, je cassais tout ? Oh oui, j'ai peur… mais d'un autre côté, je ne veux pas faire ce qu'il a fait, lui, mon père ! Je ne veux pas faire demi-tour devant l'obstacle… Mais il est haut, ce putain d'obstacle !

— Alors fonce, mon fils, déclara tranquillement Maria. Sinon tu ne sauras jamais si tu peux le sauter…

— Et moi, si ça continue, ce que je vais vraiment sauter, c'est mon repas ! grommela Paul.

Maria et Raphaël se mirent à rire.

— Tu as raison, mon amour. Allez, à table tout le monde !

20

Un verre dans une main, un canapé dans l'autre, Raphaël sortit de la pièce — pour le moins bruyante — et fit quelques pas dans le petit jardin. Songeur, il s'adossa à un tamaris. Puis il se laissa glisser le long du tronc tout en avalant le canapé. Une fois assis dans l'herbe, il replia les genoux et les entoura de son bras, les yeux perdus dans les étoiles.

« *Qu'est-ce que je fous ici ?* » se demanda-t-il soudain.

« *Allons, tu es venu pour te changer les idées, alors fais un effort ! Tu n'as pas fermé l'œil de la nuit. Au moins, ce soir, tu pourras roupiller un peu...* »

Il tourna la tête en direction de la maison. Par la baie grande ouverte, il contempla les danseurs. Les amis de Magali. Il n'en connaissait aucun, sinon de vue. Ils avaient l'air sympa. Et puis la maison était agréable. Si seulement la musique n'était pas aussi forte, là-bas dedans...

« *Eh, on n'est pas à vêpres ! Et tu mets la musique aussi fort, quand tu fais une fête et que tout le monde veut danser !* »

Il esquissa un sourire. Vrai. Le vent agita les branches du tamaris, apportant avec lui des effluves de chevaux. Raphaël tourna la tête vers l'endroit d'où provenait l'odeur.

« *C'est vrai que l'enclos du père Batista n'est pas loin.* »

Il huma profondément cette senteur qu'il adorait depuis l'enfance. Une odeur riche et lourde. Comme l'amour qu'il portait à cette terre. Les chevaux… le sien, Crésus. Job… Salomé…

« *Ah non! Pas ce soir! Tu es venu pour penser à autre chose, oui ou non? Alors lève tes fesses de là et va t'éclater sur la zique! Tu dors toujours comme un ange quand tu as dansé comme un fou…* »

Il vida le fond de son verre et se leva souplement. Puis il se fondit dans la masse des danseurs. Enfin, la masse. Il devait y avoir une trentaine de personnes.

— Ah non, vous n'allez pas me faire ça! protesta Magali en le rattrapant par la manche, une demi-heure plus tard, alors qu'il sortait de nouveau dans le jardin.

La série des slows venait de commencer.

— J'ai besoin de souffler un peu, se défendit Raphaël.

Il venait de se démener comme un beau diable au rythme d'une salsa d'enfer.

— Regardez vous-même, ma chemise est trempée.

— Eh ben justement. Si vous sortez comme ça vous allez prendre froid!

— Froid? Il fait super bon!

— Tatata… venez donc vous reposer en dansant un slow avec moi, ordonna la jeune femme en l'entraînant vers la piste improvisée.

Raphaël résista.

« *Si tu écoutes cette mélopée sans danser, tu vas encore penser à... On a dit changer les idées. Allez zou !* »

Il la suivit à contrecœur. Sur la piste, la jeune femme lui décocha un sourire ravageur, passa ses bras autour de son cou et se colla contre lui. Il l'enlaça, résigné.

Elle ne le lâcha pas une seconde durant les vingt minutes que durèrent les slows.

« *Pfff... va pas se décider à nous mettre un bon rock, çui qui s'occupe de la zique ? Ah il avait raison, le père Paul... Elle fait un peu trop l'arapède, la miss Magali. Trop collante pour être honnête, la pitchoune. Et ces yeux de palourde à l'agonie quand elle me regarde...* »

Tout en dansant, Raphaël fronça les sourcils.

« *Palourde à l'agonie ? Ça me dit quelque chose, ça... mais quoi ? Peu importe. Ah, un rock, enfin !* »

Pour faire bonne mesure, il se détacha de Magali — ou plutôt se dégrafa d'elle —, attrapa sa main et l'entraîna dans un rock à tout casser. Puis il leva une main en signe de reddition.

— Là, il faut vraiment que je m'arrête un instant, haleta-t-il en souriant.

Elle était aussi essoufflée que lui. Il ne l'avait pas ménagée, ces quatre dernières minutes.

— Moi aussi ! avoua-t-elle en souriant également. Tu veux un verre ? J'y vais.

— Volontiers. Un jus d'orange, s'il te plaît.

— Avec de la vodka ?

— Non. Avec de l'orange.

Elle fila vers le bar, visiblement déçue.

« *Eh eh, tu ne comptais quand même pas me saouler et abuser de moi, Mimine ?...* »

Magali lui tendit un verre plein à défaut de ses lèvres. Pas l'envie qui lui en manquait, pourtant...

Raphaël fit mine de regarder sa montre.

« Hypocrite ! Tu l'as regardée au moins vingt fois depuis une demi-heure ! »

— Ouh là là, déjà ? s'exclama-t-il, faussement ahuri.

« N'en rajoute pas trop, pépère. »

— Il faut que je me sauve ! Je dois me lever très tôt, demain.

— Oh non, pas déjà ! La nuit vient à peine de commencer...

Raphaël lui décocha un sourire ravageur.

— Il y en aura d'autres, Magali. Mais je dois réellement partir... si je veux être en forme demain.

Eblouie par l'éclat des dents blanches, le sourire coquine et la promesse sous-jacente, Magali décida de se faire une raison. Après tout, les choses ne paraissaient-elles pas en bonne voie ? En très bonne, même... Insister ne serait peut-être pas de très bon goût...

Mais quand même... un petit encouragement ?...

Elle haussa le visage vers lui pour lui souhaiter le bonsoir. Il déposa un baiser léger sur sa joue (Eh merde, se dit-elle, encore trop tôt !), la remercia pour la soirée et s'en fut.

Elle contempla la haute silhouette qui s'en allait dans la nuit, poussa un énorme soupir et s'en fut bercer ses espoirs parmi ses amis.

Salomé hésita un instant en pénétrant dans les Saintes. Pas envie de louvoyer entre les touristes, qui commençaient à affluer. Tiens, et si elle passait par derrière ? Au moins, par là, il n'y avait rien à voir que les maisons. Donc, le trottoir pour elle toute seule. Tout à fait ce qui lui convenait !

Elle enfila donc la rue Jean-Jaurès. Ensuite elle piquerait vers le centre par la rue Jean-Aicard. Elle baissa la tête pour passer sous un laurier rose qui débordait largement sur la rue, par-dessus un muret blanchi à la chaux. L'arbuste accrocha une mèche de ses cheveux. Pour le punir, elle lui vola une branchette fleurie et odorante, qu'elle piqua à la boutonnière de sa chemise. Elle en détacha délicatement une fleur pour la porter à ses narines. Miel et épices… mmm, comme elle aimait ce parfum…

Toute ragaillardie, elle se mit à siffloter. Ses pieds nus ne faisaient aucun bruit sur le trottoir blanc de soleil. Puis elle s'arrêta net, les yeux fixes. Parfum… Forme… Dans son esprit naissait soudain une nouvelle sculpture… délicate et fragile. Allons, elle chiperait une ou deux branches supplémentaires au retour. Ou peut-être trois.

Soudain elle suspendit sa marche, un pied encore en l'air. Ne venait-elle pas d'entendre son prénom ? Mais où ? Elle regarda autour d'elle. Des murets blancs surplombés de tamaris ou de troènes taillés à la va-comme-je-te-pousse, des maisons derrière… Elle n'y connaissait personne. Un bruit de voix, un peu en arrière, attira alors son attention. Elle revint silencieusement sur ses pas. Et tâcha de voir, à travers le feuillage du tamaris, qui se trouvait là. Qui parlait.

Deux voix. Deux voix de femmes. Soudain l'une d'elles s'éleva de nouveau. A l'instant même où Salomé reconnaissait la crinière blonde de la secrétaire de la manade.

— Salomé par-ci, Salomé par-là… Attends, je vais lui faire passer l'envie, moi, de ce tas d'os !

— Pourtant tu m'avais dit…

— Oui, mais tu as bien vu, hier soir.

— Il a dansé avec toi, okay, mais c'est pas suffisant...

Immobile, Salomé n'en perdait pas une miette. De quel mec parlaient-elles, bon sang ? Elle ne se connaissait pas d'amoureux transi, aux dernières nouvelles...

— Peut-être, mais la manière dont il m'enlaçait... Oh j'ai bien vu, va, qu'il n'osait pas m'embrasser. C'est pas le genre à te sauter dessus direct, cet homme-là. Mais je lui plais, c'est sûr.

— Et... quoi ? demanda la deuxième voix.

Salomé se concentra un instant. Non. Inconnue au bataillon, celle-là.

— Comment ça, quoi ?

— Qu'est-ce que tu espères, avec lui ? Un casse-croûte ? Ou plus ?

— Plus. Beaucoup plus ! Je vais lui faire oublier sa Salomé, t'inquiète ! Et je te promets que si tout marche selon mes prévisions...

— Oui ?

— Eh bien... eh eh... j'épouserai sous peu le beau Raphaël Benito !

Salomé sursauta tout en étouffant un hurlement.

— Pétasse ! grommela-t-elle entre ses dents. Il n'est pas pour toi, mon Raphaël... Il est à moi, grognasse !

Elle se remit en route. Furibonde. Avant de s'arrêter de nouveau, quelques mètres plus loin.

« *Mais qu'est-ce que je viens de dire, moi ? Eh, Salomé, tu yoyottes de la touffe, ou quoi ? Ton Raphaël... pour toi ? Elle est bonne, celle-là...* »

Elle repartit en se morigénant intérieurement. Mais, en un éclair, elle vit Raphaël non plus comme le grand frère, non plus comme l'ami, mais comme un homme. Un éclair qui la transperça plus brutalement que la foudre. Ses pieds nus avançaient, mais son cerveau était soudain bloqué. Elle secoua la tête, comme pour se débarrasser d'une idée incongrue.

«*Ça va, cocotte. Je sais pourquoi tu gamberges à n'importe quoi. Assez traîné. Ce soir, tu te nettoies la tête. Ça ira beaucoup mieux après...*»

Sur cette bonne résolution, elle repartit en sifflotant. Fit ses courses en deux temps trois mouvements et retourna s'enfermer dans son atelier. Si elle voulait vraiment se libérer la tête ce soir, il était grand temps de terminer la statuette entamée... et signe de son malaise. Un malaise qu'elle ne connaissait que trop bien.

Cette statuette... si elle parvenait à la terminer, aurait-elle fait un pas supplémentaire vers la libération? Cette maudite angoisse reculerait-elle encore un peu? Oh oui. Il le fallait. Et puis, cette énième représentation d'elle-même exprimerait tellement bien ce qu'elle était en ce moment... ce qu'elle était devenue... Pour ça qu'elle avait autant de mal à la façonner. Qu'elle avait si mal, au plus profond d'elle-même. Mais elle la terminerait. Coûte que coûte. Il le fallait.

Ensuite, c'est-à-dire demain, elle pourrait se consacrer à l'idée qui lui était venue en respirant le laurier rose.

21

Si Raphaël avait dansé comme un fou, la veille au soir, il n'en avait pas mieux dormi pour autant. Salomé, son père, Magali… tout avait tourné sans fin dans son esprit fatigué. Et tourmenté. Il avait péniblement trouvé le sommeil deux heures avant d'entendre le réveil.

En cette fin d'après-midi, fourbu, il rentra chez lui, prit une douche, ceignit une serviette de toilette autour de ses reins et décida de dîner de bonne heure pour se coucher de même. Au passage, le canapé lui fit de l'œil. Il était tellement crevé qu'il s'accorda un repos d'un quart d'heure avant de s'attaquer à la préparation de son omelette aux fines herbes. Et au lard. Avec peut-être quelques petites pommes de terre. Mais dans un quart d'heure.

Il s'allongea sur le canapé. Et s'endormit aussitôt d'un sommeil de plomb.

L'homme et la femme sortirent de la boîte de nuit et marchèrent en silence jusqu'au fond du parking de terre battue. Ils arrivèrent dans la partie la plus obscure de l'endroit, là où ne restaient que quelques véhicules, sous les tamaris. La femme s'adossa à une voiture. L'homme la regarda sans mot dire puis entreprit de dégrafer son pantalon, libérant son sexe tendu. Il sortit un préservatif de sa poche revolver et se détourna afin de le mettre en place. Ensuite il se campa devant la jeune femme et remonta sa jupe. Elle ne portait pas de slip. Il plaça ses mains entre ses cuisses, les écarta et s'enfonça d'un coup en elle. Ils jouirent vite, brutalement. Sans un mot. Sans presque se toucher. L'homme se retira en sortant un kleenex de sa poche et partit sous les arbres. Il revint au bout d'un court instant, fit un signe de tête à l'intention de la femme et repartit vers la boîte.

Salomé remit sa jupe en ordre, la lissa, sortit un paquet de cigarettes de la poche de son boléro et en alluma une. Elle défit la barrette qui retenait ses cheveux prisonniers, les laissant se répandre sur ses épaules. Pensive, elle se dirigea d'un pas lent vers l'entrée de la discothèque.

Elle leva les yeux vers les lumières clignotantes. Et décida de ne pas y retourner. Elle avait eu ce qu'elle voulait. Ce qu'elle était venue chercher. Elle obliqua donc vers l'autre bout du parking, là où passait le chemin menant chez elle, longeant les voitures, les yeux vides. Un homme fumait une cigarette, non-chalamment appuyé à un tamaris. Elle leva machinalement le regard vers lui sans le voir vraiment et murmura un vague bonsoir.

— C'était agréable? demanda une voix froide, coupante.

Salomé sursauta puis le regarda, ahurie. Le reconnut enfin. Et rougit violemment.

— Raphaël? Mais… que fais-tu là?

— Non!

Raphaël se réveilla dans un hurlement. L'obscurité était totale. Il ne savait plus où il était. Ne savait plus s'il rêvait ou s'il était éveillé. Le cœur battant la breloque, il tâtonna autour de lui. Un dossier. Un dossier? Le canapé! Il étendit un bras vers la lampe et alluma. Clignant des yeux, il se remit en position assise. Ouf! Ce n'était qu'un cauchemar...

Rasséréné, il se leva et entreprit de se faire un café. Puis il attrapa une tasse sur l'étagère et allait la poser sur le plan de travail lorsqu'il suspendit son geste.

Une petite chose à faire pour se sentir vraiment tout à fait bien... Une séquelle, en quelque sorte, de son mariage... Un truc pour se libérer l'esprit... Que Math ne comprendrait pas... Précautions...

Les mots qu'avait prononcés Mathilde résonnaient sans fin dans sa tête.

Se pouvait-il que... Non! Pas sa gazelle! Ce serait trop horrible! Trop... dégradant.

Entendant la cafetière cracher, il consulta sa montre. Minuit. Il avait dormi six heures... fallait-il qu'il soit fatigué, pour s'écrouler ainsi! Minuit. Elle ne dormait pas encore. Il versa son café et empoigna le téléphone.

Trois sonneries. Quatre sonneries. Cinq. Six. Sept. Huit...

Personne.

Il raccrocha lentement le combiné. Et prit sa décision. Si abjection il y avait, il devait le savoir. Il se brûla à moitié en avalant son café, se vêtit rapidement d'un jean et d'une chemise propre, enfila ses bottes, ferma la cabane et sauta dans sa voiture.

Pas de lumière dans la cabane de Salomé. Raphaël en fit le tour et aperçut Job dans son écurie. Plus loin, la moto luisait doucement sous l'éclat de la lune. Il revint sur ses pas, plongea la main dans la jatte de terre cuite et en retira la clef. Elle n'était pas là. Peut-être avait-elle laissé un mot indiquant où elle se trouvait ?

Rien. Nulle part. Il referma la porte et remit la clef en place. Pris d'une subite inspiration, il traversa le terrain en direction de l'atelier. Là non plus, personne. Mais c'était couru. Il pénétra dans la minuscule bâtisse, actionna l'interrupteur et tourna son regard vers l'établi. Une statuette y séchait sous sa pellicule de plastique. Raphaël se campa devant la table et souleva délicatement l'enveloppe qui recouvrait l'objet.

Sous ses yeux apparut alors une statuette d'environ trente centimètres de haut. Il leva un bras, et alluma le spot situé juste au-dessus. Son bras retomba lentement tandis qu'il contemplait, bouche bée, la statuette. Une œuvre saisissante. Poignante.

Une femme nue, prise jusqu'à mi-corps dans des sables mouvants, visage levé vers le ciel — ou vers quelqu'un — levant un bras implorant au-dessus de sa tête. Une femme aux longs cheveux, aux seins menus… comme l'artiste qui l'avait créée… Désespoir et sensualité…

Le cauchemar qu'il venait de faire…

Le sang battant à ses tempes, Raphaël remit précautionneusement sa protection à la statuette. Puis il éteignit les lumières et sortit lentement de l'atelier.

Il savait où aller.

Enfin… S'il n'était pas trop tard.

Arrivé sur le parking de la boîte de nuit, il jeta un coup d'œil au fond de l'esplanade. Là où les tamaris étaient plus nombreux et les voitures plus rares…

Personne.

Il étouffa un soupir de soulagement et se dirigea à grandes enjambées vers les lumières clignotantes de l'entrée.

Quelques couples dansaient enlacés. C'était le moment des slows. Il repéra tout de suite Salomé. Elle dansait avec un grand type brun. Qui la serrait à l'étouffer.

Raphaël s'accouda au bar.

— Salut Raphaël! Un moment qu'on t'a pas vu par chez nous… lança le barman, un ancien copain d'école.

— Salut Michel. Ça va, depuis le temps?

— Ça va. Qu'est-ce que tu bois?

— Un whisky-Coca, s'il te plaît.

Raphaël n'avait pas lâché Salomé du regard. Il attrapa son verre, en but une gorgée et se tourna à demi vers Michel.

— Dis-moi, Salomé et ce type…

— Oui?

— Ils sont sortis?

— Sortis? Ensemble, tu veux dire?

— Non, sortis de la boîte.

Michel émit un petit rire.

— Elle est arrivée il n'y a pas longtemps. Et il vient juste de la brancher…

— Ouf, marmonna Raphaël entre ses dents.

— Pardon?

— Non, rien… Tu le connais?

— L'est déjà venu une fois ou deux. L'est de Marseille, je crois. Bel homme…

— Pas un homme, ça, mais un poulpe!

— Faut dire, lâcha Michel en riant de nouveau, qu'il se la tient serré serré !

— Un peu trop à mon goût, grommela Raphaël.

Soudain il déposa son verre sur le bar, se leva et se dirigea vers le couple. Indifférents à ce qui se passait autour d'eux, l'homme et la femme dansaient, les yeux fermés. D'une main, Raphaël empoigna le bras de Salomé. De l'autre, il tapa sur l'épaule du poulpe. Tous deux le regardèrent, ahuris.

— Tu m'excuses, mais je récupère ma femme.

Sur ce, il fit demi-tour en tirant sur le poignet de Salomé.

— Mais, Raphaël...

— Viens !

L'homme se montra peu disposé à abandonner sa proie.

— Oh, tu permets ? Qui t'es, d'abord ?

Raphaël se carra devant lui, épaules en avant. Sans lâcher Salomé.

— Tu es sourd ? Je t'ai dit que je récupérais ma femme. Point à la ligne.

— Oui mais...

— Mais rien. J'ai pas envie de parler avec toi. Si tu veux qu'on discute à coups de poing, tu sors...

L'homme évalua la carrure du type visiblement furieux qui se tenait devant lui. Il ne faisait pas le poids. Et puis il était venu pour draguer, pas pour se faire démolir le portrait... Il renonça donc.

— Eh ben reprends-la, ta sal...

— Pardon ? rugit Raphaël, l'œil mauvais.

— Rien rien, se reprit le type, intimidé.

Puis il leur tourna le dos. Et partit à la recherche d'une autre âme esseulée.

22

Raphaël entraîna Salomé vers le bar et attrapa son verre.

— Où est le tien ?

— Là-bas au bout...

— Prends-le et viens avec moi.

— Mais, Raphaël...

— Viens !

Son ton était sans réplique. Salomé réprima un soupir, alla chercher son verre et le suivit. Il la conduisit dans le patio déserté par les dîneurs. Ils s'installèrent à une table isolée.

— Qu'est-ce que tu veux, à la fin ? explosa Salomé, aussi furieuse que lui.

— Te raconter le rêve que je viens de faire...

— Passionnant. Ça ne pouvait pas attendre demain ? Et puis d'abord, comment m'as-tu trouvée ?

— Te raconter ce rêve, disais-je donc, et t'empêcher de faire une connerie.

— Quelle conner...

— Laisse-moi parler !

— Bon, bon... C'était quoi, ce rêve ?

Raphaël se passa une main sur le front, comme s'il cherchait à revoir son cauchemar.

— Tu sortais d'ici avec ce mec et... bref, tu t'envoyais en l'air vite fait avec lui... au bout du parking.

Salomé le dévisagea, estomaquée. Et horriblement mal à l'aise. Comment avait-il pu... deviner ?

— Et... qu'est-ce qui te fait croire que c'était vraiment moi ? Que je le faisais vraiment ? Tu... enfin tu sais bien que les rêves, c'est souvent n'importe quoi ! tenta-t-elle de se défendre.

— Explique-moi, si ce n'est pas vrai et si j'ai vraiment imaginé n'importe quoi, pourquoi le type dans mon rêve avait la même gueule que ton Rudolf Valentino de bazar, rétorqua Raphaël en plongeant ses yeux dans les siens. Et pourquoi, toujours dans mon rêve, tu étais habillée exactement comme maintenant... Ma chemise que tu ne portes rien en dessous de ta jupe...

— Mais je ne sais pas, moi ! se rebiffa Salomé en détournant le regard.

Et en posant les mains sur sa jupe courte.

— Regarde-moi, Salomé.

— Non !

— Regarde-moi, je te dis !

Salomé s'exécuta, la mort dans l'âme.

— Maintenant, dis-moi, les yeux dans les yeux, que ce n'est pas vrai. Que mon rêve se trompait.

Elle se tortilla sur sa chaise, mal à l'aise.

— Je ne te dirai rien du tout. Tu m'emmerdes, à la fin !

— Ah vraiment, je t'emmerde ? Très bien. Adieu.

Il se leva, le visage fermé. Affolée, Salomé l'attrapa par la manche.

— Attends, Raphaël !

Il lui fit de nouveau face.

— Attendre quoi ? Que tu me racontes des bobards plus gros que toi et moi réunis ? Ta réaction est un aveu, de toute façon. Alors soit tu me dis la vérité soit tu me dis adieu. J'ai bien dit adieu. Pas au revoir ou à demain. Ou à plus tard ou à n'importe quand. Adieu.

— Raphaël...

— Si tu veux que je me rasseye, tu me réponds. Et vite.

Salomé le dévisagea un instant. Seuls ses yeux semblaient vivants, dans un visage de marbre. Et bien vivants. Ils lançaient des éclairs. L'expression de son ami était positivement effrayante. Une seconde, et violente, bouffée de colère la submergea et elle tenta de se dégager de la main qui étreignait toujours son épaule.

— Oui, j'allais le faire ! Avec ce mec ou un autre. Et j'aurais pris mon pied, je te le garantis ! cracha-t-elle rageusement. Tu ne sais rien, Raphaël, rien ! Je t'interdis de me juger !

— Ah je ne sais rien ? gronda-t-il en lui empoignant le bras et en se rasseyant. Eh bien je vais savoir parce que tu vas m'expliquer, figure-toi. Et plus vite que ça !

— Je ne t'expliquerai rien du tout ! Laisse-moi tranquille à présent !

— Oh mais si, tu vas m'expliquer.

La voix de Raphaël était redevenue calme. Trop calme. Salomé n'aima pas cela du tout. Il reprit, tout aussi posément, de ce ton glacial qu'il venait d'adopter :

— Je ne te connais pas, dis-tu ? Eh bien tu vas me dire ce que je devrais connaître. Même si on doit y passer la nuit.

Il n'y avait rien à faire. Il ne la lâcherait pas. Pas plus qu'il ne lâchait son bras. Salomé fut bien obligée de rester où elle était. Bien résolue à ne pas desserrer les dents. Ce qu'elle fit.

Au bout d'un instant, le jeune homme la regarda en biais.

— Comme tu veux. Fais ta bourrique. Mais tu n'es pas débarrassée de moi, j'aime autant te le dire !

Elle haussa les épaules, butée. Il ne pouvait pas comprendre, de toute façon. Mais pourquoi avait-il fallu qu'il fasse ce rêve, juste ce soir ? Elle balaya d'un geste une mouche imaginaire en maudissant sa chance. Et puis après tout, qu'ils aillent au diable, lui et sa morale à la mie de pain !

Elle lui fit face.

— Je vais me coucher. Bonne nuit, dit-elle en tentant de se dégager.

Il resserra l'emprise de sa main sur le bras de la jeune femme et prit une profonde inspiration.

— Je crois que tu ne m'as pas compris, Salomé. Je ne partirai pas d'ici — et toi non plus — sans explication.

Puis il la lâcha enfin et s'adossa à sa chaise en croisant les bras.

— J'ai tout mon temps.

— Mais de quel droit ? explosa Salomé, hurlant de rage.

— Du simple droit d'être ton ami, rétorqua-t-il froidement. J'ai le droit de savoir, et je veux savoir ce qui te prend d'aller te faire sauter à la va-vite dans un coin de parking. Et par un sinistre inconnu en plus. C'est tout.

— Et si moi j'estime que je n'ai aucune explication à te donner ? Et si moi je te dis que ma vie privée ne te regarde pas ?

Elle fulminait. Raphaël décroisa les bras, se leva et fit lentement le tour de la table. Il se campa à quelques centimètres d'elle, vrilla ses yeux dans les siens et reprit cette voix trop douce qu'il avait un instant plus tôt :

— Tu choisis, Salomé. Ou nous sommes amis ou nous ne le sommes pas. Mais je te conseille de bien réfléchir.

— Raphaël, ça n'a rien à voir !

— Oh que si ! Ou je suis ton ami et tu me donnes les raisons de ces… petites sauteries, ou je ne suis pas ton ami et nous nous disons adieu. Là, tout de suite.

Ses yeux étaient d'un bleu de glace. Aussi froids. Aussi durs. Salomé tressaillit. Il était sérieux. Elle tendit une main vers lui, implorante.

— Allons… grand frère…

Il lui coupa violemment la parole, détachant chaque mot :

— Je *ne suis pas* ton grand frère.

Ce fut comme si elle avait reçu une paire de claques. Elle déglutit et insista :

— Raphaël… Raphaël, je… tu ne… enfin merde ! Tu ne vas pas briser notre amitié pour une… bêtise pareille ! C'est ridicule !

Il prit une profonde inspiration et se passa la main dans les cheveux.

— Tu as fait ton choix ?

Salomé le regardait, affolée. Non, il ne pouvait pas faire ça ! Elle sentit soudainement l'angoisse lui étreindre le cœur. Si, il était parfaitement capable de la renier. Et elle était la mieux placée pour le savoir. Raphaël avait une trop haute idée de l'amitié pour accepter un quelconque non-dit et s'en contenter. S'il partait, là, maintenant, ce serait pour toujours. Elle le perdrait à jamais.

Raphaël n'avait pas bougé un cil. Il attendait. La rage d'avoir surpris Salomé avec ce type avait cédé la place à une immense douleur. Non, pas sa gazelle! Elle ne pouvait pas avoir fait ça! Et pourtant... si, elle l'aurait fait. Elle venait de le lui confirmer. En une seconde, une seconde épouvantable, il revit chaque détail de son rêve, et faillit hurler comme un loup blessé. A présent il lui fallait savoir pourquoi. Même si cela devait lui faire encore plus mal.

Salomé le regardait toujours, désespérée.

— Tu es... tu es vraiment sérieux? demanda-t-elle à voix basse.

— Tu me connais suffisamment, Salomé. Je suis sérieux.

Elle se laissa retomber sur sa chaise, prit sa tête entre ses mains et se mit à pleurer. Déchiré, il s'agenouilla à ses côtés et dut faire un effort surhumain pour ne pas la prendre dans ses bras. Et la consoler comme il l'avait toujours fait.

— Je ne veux pas te perdre, parvint-elle à articuler en sanglotant de plus belle.

— Moi non plus je ne veux pas te perdre, ma gazelle, dit-il d'une voix très douce.

Elle savait bien qu'elle n'avait plus le choix. Elle se redressa enfin et leva son visage barbouillé de larmes vers lui :

— Je... je vais te dire.

— Bien.

— Mais je... tu... il ne faut pas...

— Quoi donc, Salomé?

— Je... il ne faut pas que tu me regardes! reprit-elle en pleurant de nouveau. Sinon... sinon je ne pourrai pas.

Raphaël eut un sourire triste.

— Viens, sortons un moment.

Soulagée, elle lui emboîta le pas. Ils traversèrent la boîte et sortirent. D'un geste, Raphaël indiqua à Michel qu'ils reviendraient. Plus tard.

Une fois dehors, il prit la main de Salomé et l'entraîna vers l'arrière du bâtiment. Là où il savait trouver un coin d'herbe. Une fois arrivés, il s'assit, dos au mur.

— Assieds-toi. Et tourne-moi le dos, si c'est plus facile.

Elle obtempéra et s'assit en tailleur, lui présentant son dos. Puis elle se moucha, alluma une cigarette et commença d'une voix mal assurée :

— C'est un besoin, tu comprends ?

— Non. Mais tu vas me dire, murmura-t-il.

— Un besoin que je ressens. Physique, un besoin physique. Mince, je sais pas par où commencer…

— Commence par le début, p'tit moineau.

— Tu as raison. Tu sais… enfin… je t'ai dit que mon mari me trompait, non ?

— Oui, tu me l'as dit.

— Il disait… il disait que j'étais une godiche coincée. Et plein d'autres horreurs du même tonneau. Et puis un jour il me l'a dit chez des copains. Devant eux. Ses copains, bien sûr. Il leur disait que j'étais pire qu'une midinette de bas étage… que je savais pas jouir… que j'étais comme ces nanas qui… qui ne pouvaient pas coucher avec un homme sans y voir de l'amour… enfin tu vois…

— Vaguement.

— Enfin bref, ils se sont tous foutus de moi ce soir-là. Et lui, il en rajoutait, trop heureux. Ça l'amusait, je crois. Et il m'a mise au défi de me faire un des types qui étaient là. Sans tendresse, sans baisers. Juste comme ça. Crûment. Il leur disait… «Elle en est pas capable. Sous ses airs libérés, c'est une vraie Bécassine ! »… J'en pouvais plus. Alors je me suis levée, je suis allée fouiller dans sa poche et j'ai pris un préservatif. Il en avait toujours sur lui… Et puis je suis revenue dans la

171

pièce... j'ai regardé tous ces gens que je ne connaissais pas, ses amis... ils étaient tous goguenards. J'en ai attrapé un par la manche — n'importe lequel, au hasard — et je l'ai emmené dans la chambre. On l'a fait comme ce soir, dans ton rêve, à ceci près que j'avais le dos contre une commode et pas contre une voiture. Aussi vite. Sans aucune fioriture.

Elle extirpa un mouchoir de sa poche en reniflant, se moucha et poursuivit :

— Et tu sais pas quoi ? J'ai été vengée. En voyant la tête que faisait Yvan, mon mari, et celle des autres pendant que ce type leur racontait. Parce qu'il leur a raconté, bien sûr. Si tu savais combien j'ai savouré cette vengeance... plus que l'autre je crois.

— Quelle autre ?

Elle sourit à travers ses larmes.

— Celle qui nous amène à ce soir... Mais, à propos, comment as-tu su que j'étais vraiment là ?

— La statuette...

— La... ? Tu es allé dans mon atelier ?

— Oui. Je te cherchais. Je l'ai vue. Et j'ai su où te trouver. Su que mon rêve n'en était pas un. Maintenant, je t'écoute.

— Tu... tu veux bien m'allumer une cigarette ?

Raphaël en sortit deux de son paquet, les alluma et lui en tendit une. Salomé s'appuya un instant sur lui, vieux réflexe. Elle voulut se redresser aussitôt qu'elle s'en rendit compte mais il passa ses bras autour d'elle. Elle soupira et se laissa aller enfin contre son ami.

— Quelle autre vengeance ? redemanda-t-il.

A peine avait-il formulé sa question qu'il sentit sa compagne se raidir. Elle prit une profonde inspiration et se lança :

— J'ai aimé ça.

Elle perçut, à son tour, un tressaillement chez son ami. Et lui attrapa les mains.

— Laisse-moi t'expliquer, Raphaël! S'il te plaît!

Il referma ses grandes mains sur les siennes et murmura :

— Vas-y...

— Eh bien... tu comprends, il ne me touchait plus du tout depuis... oh! bien un an et... et... enfin bref, ça me manquait. Et là, avec ce type, j'ai eu du plaisir. Un plaisir bref, bien sûr. Mais violent. Intense. J'en étais la première étonnée, crois-moi. Alors voilà. Je n'avais pas vraiment le choix, puisque mon mari ne me regardait plus. Et j'ai appris à... à me contenter, disons, ainsi. Avec des hommes que je ne connais pas, à la va-vite. Et... à chaque fois ça fonctionne.

— Souvent? demanda Raphaël en serrant ses mains entre les siennes.

— Non. Rassure-toi, fit-elle en souriant tristement. De temps en temps, quand je me sens trop seule, me vient ce besoin. Alors je cherche. Et je trouve, généralement.

— Qu'appelles-tu «de temps en temps»?

— Pfff... A part cette première fois... il y en a eu deux autres. C'est tout. Et puis... ce soir. Enfin, si tu n'étais pas venu...

Elle appuya sa tête au creux de l'épaule de son ami et reprit :

— Ne crois pas que ça me rende heureuse. Oh non. Au contraire. Je préférerais mille fois faire vraiment l'amour, avec un homme que j'aime. Mais... en l'absence, ça me permet de... de continuer.

Raphaël secoua la tête, encore abasourdi de ce qu'il venait d'entendre. Ils restèrent un moment

silencieux, chacun dans ses pensées, ses questions.
Puis il reprit la parole.

— Dis-moi, p'tit moineau. Si tu avais, justement,
un homme qui t'aime... tu le ferais toujours ?

— Quoi donc ?

— Eh bien... ce que tu voulais faire ce soir.

Salomé laissa échapper un rire sans joie.

— Oh non ! Mille fois non ! Je suis peut-être une
Bécassine, comme disait ce cher Yvan, mais une
Bécassine fidèle. Et puis... si je rencontrais un
homme qui m'aime et qui me rende heureuse, je
sais que je n'aurais plus besoin de... de ce pallia-
tif. Je n'en aurais plus ni besoin ni envie.

— Alors trouve-le, ma gazelle.

— Eh pardi ! rétorqua-t-elle en riant franchement, cette fois-ci. Je m'en vais aller le pêcher dans
la roubine, peut-être ?

— Eh ! Qui sait... il n'est peut-être pas aussi loin
que tu ne penses... répondit-il en joignant son rire
au sien.

— Vouiche ! Eh bien en l'attendant, ce prince
charmant tombé du ciel, j'ai bien besoin d'un truc
à boire, moi. Toi aussi ?

— Yes madame.

— Alors viens. Allons nous faire bichonner par
Michel.

Il la suivit.

23

Salomé se sentait inexplicablement soulagée, à présent qu'elle avait avoué sa... sa déchéance à Raphaël. Elle savait qu'il lui pardonnait. Ou du moins qu'il lui pardonnerait. Il était trop intelligent, trop sensible, pour ne pas comprendre. Et admettre. Et, donc, absoudre. Elle lui jeta un coup d'œil, accoudée au bar. Il la dévisageait, songeur, une drôle d'expression qu'elle ne lui connaissait pas sur le visage.

Michel déposa deux verres devant eux. Raphaël prit le sien et en but une gorgée, tout en la regardant toujours. La même expression sur le visage. Comme s'il hésitait avant de prendre une décision. Une décision importante.

Une nouvelle série de slows débuta. Il y vit comme un signe.

Le temps de la réflexion était passé. Il ne s'était que trop pris la tête jusqu'à présent.

— Viens, dit-il en la prenant par la main.

— Où ça ?

— Danser.

— Mais...

— Viens !

Il leur fraya un passage au milieu des couples

puis, une fois arrivés au milieu des danseurs, il se tourna vers elle et l'enlaça.

Salomé hésita un instant, réticente. Ce besoin, ce foutu besoin, était toujours là, puisqu'il l'avait empêchée de l'assouvir en débarquant ainsi. Pourquoi avait-il fait ce rêve, nom de Dieu ? Elle serait tranquille, à présent. Prête pour redémarrer sa vie. L'esprit libre.

Il perçut ses hésitations. Et l'attira doucement à lui. Vaincue, Salomé passa ses bras autour de son cou et reposa sa tête contre son épaule. Elle n'avait jamais encore dansé un slow avec Raphaël.

Raphaël... Elle se sentait si bien, entre ses bras forts. Rassurants. Elle se laissa aller au rythme langoureux de la danse en fermant les yeux. Il resserra son étreinte. Elle resserra ses bras autour de son cou. Une larme perla à sa paupière. Larme de bonheur. Larme de frustration, aussi.

Un frisson parcourut son corps lorsqu'il posa ses lèvres sous son œil et but cette larme. Elle rouvrit les yeux, affolée, et tenta de se dégager.

— Raphaël... je ne sais pas si... arrêtons de danser !

— Pourquoi ? demanda-t-il, la bouche sur sa joue.

— Parce que... je... je ne sais pas !

Il sourit.

— Moi je crois que je sais... Dansons.

— Tu sais ? reprit-elle en rougissant.

— Chhhuttt...

Il remonta une main sous sa nuque, tandis que l'autre lui caressait lentement le dos. Elle se détendit progressivement entre ses bras, jusqu'à faire corps avec lui au rythme de la musique. Yeux fermés, silencieux, ils dansaient.

Les haut-parleurs lâchèrent soudain un roulement de tambour, annonciateur d'une rumba endiablée. Sans la lâcher, Raphaël entraîna Salomé vers le bar. Ils finirent leur verre, toujours enlacés. Raphaël reposa le sien et tendit un billet à Michel.

— J'ai assez vu cet endroit pour ce soir.

— Moi aussi, répondit Salomé dans un soupir. Elle reviendrait demain...

— Viens.

Lorsqu'il prit la direction de la manade, et non de chez elle, Salomé regarda Raphaël, interloquée.

— Mais pourquoi...

Il étendit le bras et posa deux doigts sur ses lèvres.

— Chhutt...

Elle étudia son profil, dans la nuit. Indéchiffrable. Allons, il voulait certainement encore parler ! Elle se carra plus confortablement sur son siège et se concentra sur le paysage, éclairé par la lune.

Il arrêta la voiture devant chez lui, descendit et en fit le tour. Puis il ouvrit la portière de Salomé, l'enlaça et la guida en direction de la porte de sa cabane. Toujours sans un mot.

Une fois à l'intérieur, il alluma juste une petite lampe. Ensuite il revint vers elle. Silencieuse, elle attendait, se demandant ce qu'il voulait. Il sembla hésiter un instant. Puis, brusquement, il prit une profonde inspiration, la plaqua contre le mur et referma ses bras autour d'elle. Etonnée, Salomé leva le visage vers lui. Il prit goulûment ses lèvres entrouvertes.

Affolée autant qu'estomaquée, Salomé tenta de se débattre. Mais il raffermit son étreinte et glissa sa langue entre ses dents. Son baiser se fit profond. Violent. Passionné.

L'ahurissement de Salomé se mua en autre chose. Une autre chose indéfinissable. En quelques secondes à peine, elle se retrouva en train de répondre tout aussi passionnément à son baiser. Accrochés l'un à l'autre comme deux naufragés de l'amour, ils se dévoraient littéralement.

Les mains de Raphaël couraient sur le corps de Salomé. Celles de la jeune femme agrippaient désespérément ses cheveux. Ses épaules contractées. Enfin, tout ce qu'elles trouvaient. Le corps secoué de frissons incoercibles, elle se cambra plus encore contre lui. Et réprima un hoquet en sentant la main de son compagnon remonter sous sa jupe.

— Raphaël ! lâcha-t-elle alors qu'ils reprenaient haleine.

Entre deux halètements, il plongea ses yeux dans les siens.

— Je veux te donner ce que tu étais allée chercher.

— Mais, Raph…

Il reprit sa bouche, lui imposant silence. Et, de nouveau, elle fut emportée par cette chose incompréhensible. De nouveau elle répondit à son baiser avec une ardeur inimaginable.

Incapable de réagir sainement, de le repousser, elle se rendit bien compte qu'il avait remonté sa jupe et écarté ses cuisses. Elle put juste constater qu'elle le laissait faire. Et s'accrocha désespérément à son cou puissant en entendant le zip de sa fermeture Eclair. Pour hoqueter sous ses lèvres lorsqu'il la pénétra d'une seule poussée. A la fois lente et violente.

Plaquée contre le mur, agrippée à lui, elle jouit instantanément. Puis accorda son corps à son lent et puissant mouvement de va-et-vient. Une seconde explosion de plaisir la secoua en même temps que Raphaël.

Haletants, le cœur battant la chamade, ils restèrent un long moment ainsi, tentant de reprendre leur souffle.

Puis Raphaël la souleva dans ses bras et l'emporta dans sa chambre. Là, il la déposa précautionneusement sur le lit et s'allongea à côté d'elle. Alors, seulement, il parla. Mais pas beaucoup.

— Maintenant que je t'ai donné ce dont tu avais besoin, laisse-moi te faire vraiment l'amour.

Salomé le regarda. C'était elle qui rêvait, à présent !

— Raphaël...

— Ne dis rien, mon cœur. Plus tard...

Il posa délicatement ses lèvres sur les siennes, comme s'il voulait lui laisser la possibilité de protester, et lui ôta son chemisier. Puis sa jupe.

Encore sous le coup de la surprise, et des sensations violentes qu'elle venait de ressentir, quasiment en état de choc, Salomé opta pour le silence. Elle ne savait plus quoi dire. Quoi faire. A part le laisser agir.

Il se déshabilla rapidement. Et entreprit de lui faire l'amour. Aussi délicatement, aussi tendrement qu'il venait de la prendre à la hussarde. Ou tout comme. Perdue dans un océan de sensations, Salomé ne put que gémir de plaisir. De bonheur. Et crier son prénom lorsque sa jouissance atteignit son apogée.

Tous deux épuisés, ils s'endormirent presque immédiatement. Dans les bras l'un de l'autre.

24

Salomé se réveilla, incroyablement détendue. Elle s'étira longuement avant de se décider à ouvrir les yeux. Une fois ouverts, elle regarda autour d'elle, interloquée. Avant de se retrouver assise d'un bond dans le lit.

Raphaël! Lui revinrent alors les événements de la nuit. Raphaël... qui n'était plus là. Elle tâta le drap, à côté d'elle. Froid. Elle jeta un coup d'œil vers la fenêtre. Il était tard, visiblement. Il avait dû aller travailler.

Raphaël... non, ce n'était pas vrai! Elle n'avait pas fait l'amour avec lui! Raphaël... le demi-dieu de son enfance... son grand frère... Ce n'était pas possible!

Etait-elle une telle traînée, qu'il se fût senti obligé de lui donner ce qu'elle était allée chercher dans cette boîte de malheur? En cette soirée de malheur?

Oui, mais alors, pourquoi lui avait-il, ensuite, fait l'amour aussi tendrement, aussi passionné-ment? Car c'était ainsi qu'il l'avait aimée, là, sur ce lit, dans sa chambre.

Mais là n'était pas la question.

La tête entre les mains, elle crut devenir folle.

Jamais plus elle ne pourrait le regarder dans les yeux... Jamais plus elle ne pourrait lui parler sans rougir... sans avoir honte d'elle-même... Jamais plus il ne lui ferait confiance...

Jamais plus...

Ce jamais plus tournait et retournait dans sa tête. Infernal manège. Cruelle ritournelle.

Jamais plus...

Jamais plus...

Elle sauta sur ses pieds, se rhabilla rapidement et sortit de la maisonnette comme une folle. Sans même voir le mot que lui avait laissé Raphaël, sur la table.

Dehors, elle avisa les voitures. Son père comme sa mère, ou Raphaël... *(Jamais plus...)* laissaient toujours les clefs sur le contact.

Elle sauta dans la voiture de Maria, mit le contact et démarra. Pour s'arrêter un mètre plus loin, en descendre et tracer avec son doigt sur le sable à l'emplacement qu'elle venait de quitter son prénom en lettres capitales. Maria comprendrait. La jeune femme faisait toujours ça lorsqu'elle empruntait une des voitures de la manade.

Puis elle reprit le volant et rentra chez elle.

Raphaël revint en fin d'après-midi. Trouva le mot exactement là où il l'avait déposé. Et sut que Salomé ne l'avait pas trouvé. Ou n'avait pas voulu le trouver. Le cœur serré, il prit une douche avant de partir chez elle. Ils devaient parler, à présent.

La voiture de Maria attendait sagement devant le petit portail. Une note accrochée au volant, bien en vue. Raphaël la déplia. Il savait déjà que le moineau avait déserté le nid.

Le cœur gros, il lut.

Maman,

Peux-tu ramener Job à la maison ? Je ne sais pas combien de temps je pars.
Je suis paumée. Il faut que je fasse le point.
Je t'aime.

Salomé

P.-S. *Merci pour la voiture.*

P.-S.bis. *Je vais chez Philippe, mais ne le dis pas à Raphaël. Je t'expliquerai. Un jour. Si je peux.*

Raphaël laissa retomber la feuille de papier sur ses genoux. Désespéré.
Il avait tout gâché !
Et son petit moineau s'était sauvé.

— Allô, Philippe ?
— Elle est arrivée, maman. Pas de panique.
— Ouf, tu me rassures… Tu crois que…
— Ecoute, ma nounouche, il est un peu tôt, je crois. D'abord elle dort, et ensuite elle n'a pas l'air de trop vouloir se confier. Va, laissons faire Val. Tu la connais, non ?
— Oui ! Et je l'adore, ta petite femme.
— Allez va, ne te fais pas trop de souci. Ta pitchounette est entre de bonnes mains…
— Je sais ! Adieu, mon fils.
— Adieu. On te tient au courant.

— Dis-moi, ô sainte Valérie, patronne des cœurs esseulés z'et solitaires…
— Pléonasme.

— Tais-toi, femme de peu! Laisse parler le maître.

— Sainte, ou femme de peu? Faudrait savoir, Messire...

Philippe prit sa femme dans ses bras en riant.

— Les deux, mon général. Alternativement. Et c'est ça que j'aime en toi. Bon. Je disais donc...

— Ouiii... Si tu crois que je ne te vois pas venir, avec tes gros sabots, mon amour...

— Eh ben ce sera plus simple! Salomé, tu crois pouvoir en tirer quelque chose?...

— Et toi?

— Moi? Tintin. Jamais rien pu lui extirper, à ma bourriquette de sœur. A ma connaissance, il n'y a jamais eu que Raphaël, pour la faire parler.

— Oui, mais il n'est pas là. Donc...

— Donc, peut-être y parviendrais-tu...

Val réfléchit un instant.

— Moralité, tu veux encore me faire jouer les marieuses?

— Pourquoi les marieuses?

— Il y a du Raphaël là-dessous. Ma main à couper.

— Tu crois?

— Sûre et certaine. Puisque lui aussi se bute comme un âne rouge quand Maria lui demande pourquoi elle est partie...

— Ah, ah...

Valérie jeta un regard sévère à son compagnon.

— Eh, ce n'est pas parce que j'ai pu arranger les choses pour Elsa et Tim* que je ferai des miracles dans le cas de ta sœur!

— Mais je suis certain que tu peux essayer...

* Personnages apparaissant dans *Pour un air de blues*, Editions J'ai lu, n° 4238.

— Hum! Vais tâter le terrain. Mais je ne te promets rien! C'est clair?

— Comme de l'eau de roche, mon cœur!

> *Que sont mes amis devenus*
> *Que j'avais de si près tenus*
> *Et tant aimés*
> *Ils ont été trop clairsemés*
> *Je crois le vent les a ôtés*
> *L'amour est morte*
> *Où sont amis que vent emporte…*

Les yeux clos, le visage inondé de larmes, Salomé écoutait, recroquevillée sur le lit de la chambre d'amis. Plus rien n'existait que la musique, que la voix de Léo Ferré qui emplissait la pièce. Seule. Seule à en crever.

> *Et il ventait devant ma porte*
> *Les emportant…*

Plus rien à espérer, que la solitude. Cette solitude infinie, cette solitude mortelle. Oh, Yvan, as-tu pris du plaisir, au moins, à me détruire? Car tu m'as détruite, scientifiquement détruite. Sois heureux, Yvan, je n'existe plus. Je ne suis plus qu'une ombre. Un spectre. Incapable d'aimer. Incapable de vivre. J'ai tout perdu. Tout. Merci, Yvan. Grâce à toi, j'ai même perdu Raphaël.

Léo Ferré chantait toujours. Mots ciselés du poète. Colère et désespoir mêlés.

> *Que sont mes amis devenus…*

Salomé pleurait.

Et Valérie se désespérait. Huit jours que Salomé

était arrivée. Huit jours qu'elle s'enfermait pour pleurer.

Il était temps d'agir.

Elle se glissa silencieusement dans la chambre de la jeune femme. S'assit à côté d'elle sur le lit. Et caressa la tête prostrée.

— Dis-moi, Salomé, ça fait huit jours que tu te gaves de Ferré et que tu remplis la Seine. Tu crois pas qu'elle va déborder, si tu continues ?

Salomé se contenta de renifler.

— Mouche ton nez, va...

Valérie lui tendit la boîte de Kleenex qu'elle avait apportée avec elle. Prévoyante.

— Et raconte-moi ce qui ne va pas. Tu veux bien ?

Salomé n'hésita que quelques instants. Peut-être se sentirait-elle mieux après avoir vidé son cœur... Et puis elle n'en pouvait plus, de garder sa culpabilité pour elle.

Elle se rassit sur le lit. Secoua la tête. Comme pour se remettre les idées en place.

Puis elle parla.

25

— Allô, maman?

— Oui mon grand. Alors, du nouveau?

— Oui. Mais avant, toujours rien de Raphaël?

— Non. Ou presque. Les deux seules phrases que j'ai pu lui tirer ont été «Je n'ai pas choisi le bon moyen pour me lancer» et «J'ai tout gâché». Point à la ligne. Quoique...

— Quoique?

— Je ne sais pas... une impression... Il aurait bougé que ça ne m'étonnerait pas plus que ça.

— Ben... de toute façon, le problème de ma petite sœur se prénomme Raphaël, alors...

— Ah.

— Val a réussi à lui tirer les vers du nez. Elle t'en parlera mieux que moi mais, en gros, son fumier de mari l'a bien esquintée, la sœurette. Et elle a honte de ce qu'elle est devenue. Alors qu'il n'y a pas de quoi fouetter un matou, je trouve. Bref, elle vient de découvrir qu'elle aime Raphaël...

— Eh ben alors? Génial!

— ... Et elle est persuadée qu'il ne voudra plus d'elle. A cause de sa conduite d'un certain soir...

— Tu m'intrigues, là.

— Val te l'expliquera mieux que moi, nounouchette. Elle te sonne ce soir en rentrant du boulot, okay?

— Okay. Ah, n'oublie pas de lui faire un gros bisou pour moi. C'est une fée, ta petite femme.

— Partout, les bisous. Je te le promets!

— Me regarde plus, ça! rétorqua sa mère en riant.

— Regarde ce qui est arrivé pour toi, lança Valérie le lendemain midi, alors que Salomé pénétrait dans la cuisine.

Elle désigna une lettre, posée sur la table. Salomé tressaillit. Elle venait de reconnaître l'écriture sur l'enveloppe. Raphaël.

Val lui jeta un regard en coin.

— Tu ne l'ouvres pas?

— Bah, je sais déjà ce qu'il y a dedans. A quoi bon me faire encore plus mal, tu veux me dire?

— Qu'en sais-tu? Et puis d'ailleurs, pourquoi a-t-il écrit ça, sur l'envers?

Perplexe, Salomé retourna l'enveloppe.

Nul renvoi au dos.

Mais une phrase.

Elle ne vient pas de Séville.

Le salaud!

— Tu sais, toi? reprit Valérie.

— Oui. Un jour, il a reçu une lettre de Séville qu'il ne voulait pas lire. Je l'ai ouverte et puis je l'ai poussé à la lire quand même...

— Hum hum... Okay. Tu veux que je...

Salomé lui lança un regard éloquent.

— S'il te plaît.

— Donne.

Valérie décacheta l'enveloppe et en sortit une

carte. Elle la déplia. Lut. Et regarda Salomé. Celle-ci baissait la tête, résignée.

— Lis-la.

— Non.

— Lis, je te dis !

— Doit être laconique, si tu l'as lue si vite.

— C'est laconique. Lis.

Hésitante, Salomé tendit un bras vers la carte. Puis, sans lever la tête, elle l'ouvrit et y jeta un coup d'œil.

Un deuxième. Puis un troisième. Les yeux ronds. Ses mains se mirent à trembler.

Sur le côté gauche était inscrit :

JE T'AIME
VEUX-TU M'ÉPOUSER ?

Sur le côté droit :

Coche la case correspondant à ta réponse :

☐ *OUI. JE T'AIME.*
☐ *NON. VA TE FAIRE VOIR.*
☐ *DÉSOLÉE FAUT QUE JE LAVE LA SALADE.*

Salomé éclata en sanglots.
Valérie éclata de rire.

Moteur hurlant de toute la puissance de ses chevaux, une moto fonçait dans la nuit. Couchée sur le réservoir pour offrir moins de prise au vent, une mince silhouette en combinaison de cuir noir faisait littéralement corps avec la machine vrombissante.

Raphaël ouvrit un œil. Quelle heure était-il? Il faisait à peine jour... Il jeta un coup d'œil au réveil. Six heures. Enfin il avait dormi. Depuis le temps... il referma les yeux et se retourna, calant paresseusement sa tête sur l'oreiller. Encore une petite heure à flemmarder...

Il allait se rendormir lorsqu'il perçut un mouvement infime sur le lit. Intrigué, il souleva une paupière. Un chat?

Soudain ses deux yeux furent grands ouverts. Et Raphaël bien réveillé. Il se redressa sur un coude. Et sourit.

A ses côtés reposait Salomé. Profondément endormie. Sur son front était inscrit, au rouge à lèvres :

☒ *OUI!*

Sur son nez :

JE

Et sur son menton :

T'AIME!...

Il posa une main sur ses cheveux de soie. Les caressa tendrement, les yeux embués. Puis il n'y tint plus. Il la prit dans ses bras et l'étreignit contre lui. Salomé ouvrit les yeux et lui sourit.

— Bonjour, mon amour...

4583

Composition Interligne B-Liège
Achevé d'imprimer en Europe (Angleterre)
par Cox & Wyman à Reading
le 18 août 1997.
Dépôt légal août 1997. ISBN 2-290-04583-7
Éditions J'ai lu
84, rue de Grenelle, 75007 Paris
Diffusion France et étranger : Flammarion